できる
全部入り

仕事がは...

JN032637

Python
& Excel
自動処理

リブロワークス 著
株式会社ビープラウド 監修

改訂2版

全部入り

インプレス

◪ はじめに

Excelはビジネスにおいてなくてはならないアプリケーションで、さまざまな業務に使われています。本書はExcelを使った業務を、近年注目度が高いプログラミング言語であるPythonを使って効率化・自動化するというテーマの書籍です。

Excelの自動化といえばExcel VBAが定番ですが、Python（openpyxl）によるExcel操作は処理速度が速い上に、Pythonが持つさまざまな強力なライブラリと連携できます。社内システムが吐き出す大量のCSVファイルやインターネット上のデータを集計し、人間が見やすいExcel形式で書き出すといった処理が実現できるのです。また、Pythonを使って業務を自動化することは、近年よく話題にあがるキーワードである、デジタルトランスフォーメーション（DX）を実現する手段の1つとして考えることもできるでしょう。

掲載しているサンプルプログラムは、なるべく短く、かつ業務に活かすイメージが湧きやすいものを目指しました。似たような業務であっても会社や部署によってやり方が異なるので、Excelの使われ方も微妙に異なります。そのため、サンプルプログラムをそのまま業務に適用できるケースは少ないかもしれません。しかし、細かな書式などの違いであれば、簡単なカスタマイズで対応できるはずです。

なお、本書はPythonの基本文法の説明は省き、内容のほとんどをExcel操作のサンプル解説に割いています。Pythonがまったくはじめてという方もいるとは思いますが、すでにPythonの入門書は多数刊行されています。それらと解説を重複させるよりも、サンプルと解説をより多く掲載することに絞りました。ただし、巻末付録には、Pythonの基本文法を簡単にまとめた「Pythonチートシート」を掲載しています。サンプルプログラムでわからない文法があった場合は、「Pythonチートシート」を参照しながら、読み進めてください。
また改訂にあたり、全体的な情報のアップデートに加え、巻末付録として、「トラブルシューティング」を追加しました。エラーが出て困った場合は、ぜひ参考にしてください。
本書が、プログラミングやPythonの知識を深めるきっかけになったり、業務の自動化のお役に立てたりすれば幸いです。

最後に、本書の監修をしてくださった株式会社ビープラウドの鈴木たかのり様、吉田花春様、Yukie様、本当にありがとうございました。この場を借りてお礼を申し上げます。

2024年6月　リブロワークス

仕事がはかどる
Python&Excel 改訂2版
自動処理 全部入り

Chapter

3

表の見た目を
素早く整える

115

Chapter **4** グラフでデータを 可視化する

153

Chapter 7
ライブラリでデータの収集を自動化する
227

Appendix1 付録
Pythonチートシート
267

本書の前提

本書に掲載されている情報は、2024年6月現在のものです。動作確認は、Windows 11、Python 3.12.3、openpyxl 3.1.3で行っています。

サンプルプログラムのダウンロードサービス

本書で紹介しているプログラムをダウンロードいただくことができます。実際にプログラムの動作を確認しながら本書をお読みいただくことで、より深い理解を得られるでしょう。サンプルプログラムのダウンロード方法は、P.295を参照してください。

Chapter

1

- - - - - - - - - - - - -

PythonでExcelを
操作する前に

⊙⊙1 | Python&Excelが なぜよいのか

☑ 自動化のメリット

　あなたの職業では、就業時間をどんな業務が占めているでしょうか。もちろん、業界や業種によってさまざまだと思います。企画を作ったり打ち合わせをしたりといった「考える」ことが必要な業務もあれば、社員全員の勤務時間を集計したり、毎日決まった時間に社員にメールを送るといった、決まったルールに沿って行う作業もあるでしょう。後者のようないわゆる「単純作業」は、量が少ない場合はまだいいのですが、量が多いとそれなりに時間がかかりミスもしやすくなります。このような単純作業はコンピューターにまかせてしまおうというのが、近年よく話題にあがる**業務の自動化**または**RPA（Robotic Process Automation）**です。

　たとえば、決まった時間に社員にメールを送るという業務に、毎日3分かかっていたとします。この業務を自動化した場合、1カ月あたりの営業日数を20日とすると、1カ月で60分（3分×20日）も削減することができます。1つ1つは小さい業務であっても、自動化することで多くの時間を削減できるのです。

　業務の自動化によって「単純作業」に使う時間をなるべく減らすと、「考える」ことやアイデアが必要な業務に、より多くの時間を割けるようになります。また、業務の自動化によって浮いた時間で今まではできなかった仕事をしたり、自分の趣味に使ったりすることもできます。本書は、さまざまな業種で就業時間の多くを占める「Excelを使った業務」を、Pythonと呼ばれるプログラミング言語を使って自動化することに焦点をあてた解説書です。

　また、近年よく話題にあがるキーワードとしては、**デジタルトランスフォーメーション（DX）**もあります。これは、業務の流れやビジネスに変革をもたらす取り組みのことを指します。Pythonを使って業務を自動化することは、DXを実現する手段の1つとして考えることができます。

✓ Pythonとは

　Pythonはプログラミング言語の1つであり、約34年前に登場しました。決して新しい言語ではないですが、人気が高いプログラミング言語です。

- **Python公式サイト**
  https://www.python.org/

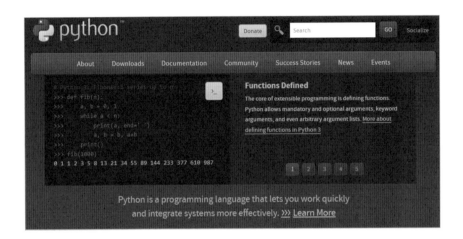

　なぜ注目を集めているのかというと、1つ目の理由は、データ分析やAI、機械学習といった分野に強いことです。AI、機械学習といった言葉を聞いたことがある人は多いでしょう。Pythonではこれらの分野を扱えるライブラリ（機能ごとにプログラムをまとめたもの）が豊富に提供されており、他のプログラミング言語に比べて、データ分析やAI、機械学習の検証や導入がしやすいのです。

　2つ目の理由は、Pythonの文法がとてもわかりやすく、これからプログラミングを勉強する人にとって挑戦しやすいことです。プログラミング言語には、ほかにもC言語やC#、Javaなどさまざまなものがありますが、それと比較しても、Pythonはとてもスッキリしたプログラムを記述できます。そのため、プログラミング初心者にもわかりやすく、勉強しやすい言語だといえます。

　Pythonで記述した、簡単なサンプルプログラムを見てみましょう。次のプログラムは、0〜9の整数のうち偶数のみを画面に表示します。

sample.py

```
01  for i in range(10):
02      if i % 2 == 0:
03          print(i)
```

```
> python sample.py ── Pythonのプログラムを実行
0
2
4        偶数のみが画面に表示される
6
8
```

　Pythonはインデントでブロックを表現するのでプログラムの構造がわかりやすいです。また、繰り返し処理（for文）もとてもシンプルに記述できます。

✓ Excel VBAではなくなぜPythonなのか

　ExcelはMicrosoft社の表計算アプリケーションであり、ビジネスで広く使用されています。業務の大部分をExcelで作業、管理しているケースは少なくありません。このExcelを使った業務では、データの入力とコピー&ペーストの繰り返しといった単純作業が占める割合が大きいです。

　Excelを使った業務の自動化でまず選択肢としてあがるのが、Excel VBAを使う方法でしょう。Excel VBAは、Excelに標準搭載されており、Excelを操作するために最適化されたプログラミング言語です。

　しかし本書では、Pythonを使う方法を解説します。PythonによるExcelの自動化には、Excel VBAにはないいくつかの利点があるからです。

複数ファイルを操作しやすい

　1つ目は、Pythonのほうが複数ファイルを操作しやすい点です。Pythonには、ファイルやフォルダーを扱うのに便利な関数やライブラリが、豊富に用意されています。1つのExcelファイルに対する操作はExcel VBAのほうがよいこともありますが、操作したいファイル数が多い場合はPythonのほうがわかりやすいプログラムを書くことができます。

プログラムを別ファイルにできる

2つ目は、Pythonだとプログラムが別ファイルになる点です。Excel VBA の場合、プログラムはExcelファイルの中にあります。プログラムのインポート・エクスポート機能はありますが、毎回行うのは少々面倒です。別ファイルになると、プログラムが管理しやすく、再利用性も高くなります。

豊富なライブラリと連携できる

3つ目は、Pythonの豊富なライブラリと連携することで、業務の自動化がしやすくなる点です。Pythonの代表的なライブラリはP.34で解説しますが、文字の変換やデータ集計など、実にさまざまなものがあります。これらのライブラリを組み合わせることで、Excel VBA単体では実現できない自動化が可能です。

Pythonはさまざまな分野を扱える

4つ目は、Pythonを覚えるとさまざまな分野に活かせる点です。Excel VBAはExcel用に最適化されたプログラミング言語なので、Excelしか操作できません。対して、Pythonはデータ分析や機械学習、スクレイピングなども扱えます。プログラミングを始めるなら、いろいろな分野を扱えるPythonを覚えておくとメリットが大きいです。

ここもポイント | PythonでExcelファイルを操作する際のデメリット

PythonでExcelを操作するライブラリはいくつかありますが、本書ではopenpyxlというライブラリを使用します。openpyxlを使ったプログラムをChapter 2以降で解説していきますが、openpyxlを使ってExcelファイルを操作する際にもデメリットはあります。それは、Excelの機能すべてを扱えるわけではない点です。たとえば、以下の内容はopenpyxlでは扱えません。

- **Excelの起動中に行う操作（ウィンドウサイズやウィンドウの分割などの見た目に関わる操作や、セルの選択などのカーソル移動）**
- **図形の編集や保存**

Excel VBAはExcelというアプリケーション自体を操作しますが、openpyxlはあくまでExcel形式のファイルを操作するライブラリです。そのためopenpyxlは、Excelの見た目などを操作するのではなく、文書として使われているExcelファイルを操作することが得意なのです。プログラムを作成する際は、Excelに対して何を行いたいのか、それがopenpyxlに向いているのかを事前に検討することをおすすめします。

ここもポイント | openpyxlと「Python in Excel」は何が違う？

Excelの新機能に、「Python in Excel」があります。2024年6月時点ではプレビュー版なので、Microsoft 365 Insider Programをインストールしないと使えない機能ですが、Excelの数式にPythonのコードを書ける機能です。

「Python in Excel」では、PythonのライブラリやツールのセットであるAnacondaが利用できるようになっているので、データ分析によく使われるPandasなどのライブラリも数式内で利用できます。

一見、Pythonのインストールをせずに使える「Python in Excel」があれば、openpyxlは不要ではないかと思うかもしれませんが、そうではありません。「Python in Excel」は**Excelの中でPythonが動く機能**であり、openpyxlは**PythonがExcelの外で動いており、Excelをデータファイルとして使う機能**です。そのため、「Python in Excel」は主にExcel内のデータ分析に使われ、openpyxlはブックの作成やコピーなどを含む、Excelを使った業務の自動化に使われるといった、目的の違いがあります。

「Python in Excel」はまだプレビュー版なので今後どのような機能が実装されていくかはわかりませんが、現状では、Excelの何らかの操作をPythonで行いたいなら、目的に合わせて、2つの選択肢を使い分けるのがよいでしょう。本書は、Excelを使った業務の自動化をPythonで行うことが目的なので、openpyxlについて解説していきます。

⊙⊙2 | Pythonをインストールする

　WindowsでのPythonのインストール手順を解説します。Pythonの公式サイトにアクセスしてください。また、本書で使用するPythonのバージョンは3.12とします。

- **Python公式サイト**
  https://www.python.org/

▮ Pythonのインストール

1 [Downloads]→[Windows]
の順にクリック

2 [Windows installer
（64-bit）] をクリック

パソコンが32bitの場合は
[Windows installer（32
-bit）] をクリックする

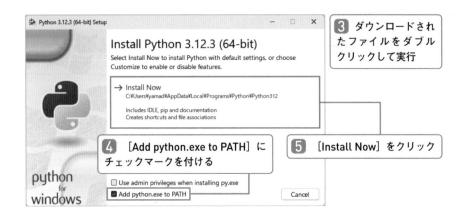

③ ダウンロードされたファイルをダブルクリックして実行

④ [Add python.exe to PATH] にチェックマークを付ける

⑤ [Install Now] をクリック

上記の [Add python.exe to PATH] のチェックを忘れないよう注意してください。

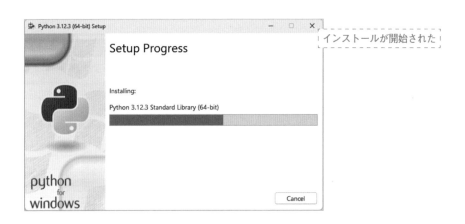

インストールが開始された

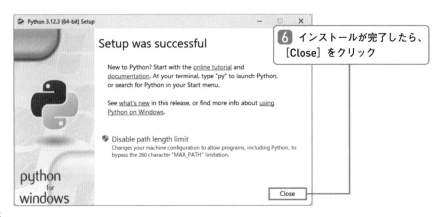

⑥ インストールが完了したら、[Close] をクリック

☑ Pythonのインストール確認

Pythonが正しくインストールされたかを確認します。

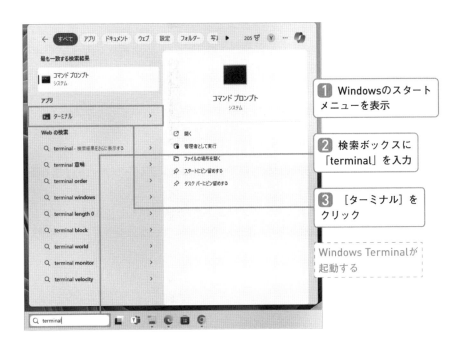

1 Windowsのスタート
メニューを表示

2 検索ボックスに
「terminal」を入力

3 ［ターミナル］を
クリック

Windows Terminalが
起動する

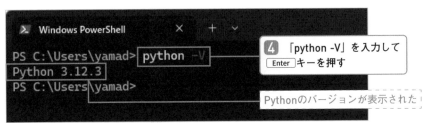

4 「python -V」を入力して
Enter キーを押す

Pythonのバージョンが表示された

　インストールしたPythonのバージョンが表示されていたら、問題なくインストールできています。

　なお、Pythonをすでに勉強しており、Anaconda（アナコンダ）というデータサイエンスプラットフォームをインストールしたパソコンで本書のプログラムを実行したい場合は、P.289のコラムを参照するようにしてください。

003 | Visual Studio Codeをインストールする

　次は、Pythonのプログラムを書くのに使うエディターとして、**Visual Studio Code（以降、VS Code）**をインストールします。VS CodeはMicrosoft社が開発したとても人気が高いプログラミング用のエディターです。エディターにはWindows標準の「メモ帳」などもありますが、プログラミング用のエディターを使うと以下のメリットがあります。

- **キーワードが色付きで表示されたり、Pythonのインデントがガイド付きで表示されたりして見やすい**
- **入力した文字列から始まる属性やメソッドが、予測候補として表示される**
- **豊富な設定と拡張機能によって、エラーのチェックやプログラムの自動整形が可能**

VS Codeの画面

```python
import logging
import sys

from openpyxl import Workbook

logging.basicConfig(
    filename="create_book.log",
    level=logging.INFO,
    format="%(asctime)s: [%(levelname)s] %(message)s",
)

logging.info("処理を開始しました")
try:
    count = sys.argv[1]
    for i in range(int(count)):
        wb = Workbook()
        ws = wb.active
        ws.title = "概要"

        file_name = f"資料_{i + 1}.xlsx"
        wb.save(file_name)
        logging.info("ブックを作成しました: %s", file_name)

except Exception:
    logging.exception("例外が発生しました")

logging.info("処理が終了しました")
```

　本書では、Windows でのインストール手順を解説します。VS Code の公式サイトにアクセスしてください。

- **VS Code公式サイト**
  https://code.visualstudio.com/

☑ VS Codeのインストール

1 [Download for Windows] をクリック

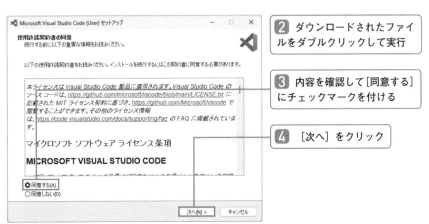

2 ダウンロードされたファイルをダブルクリックして実行

3 内容を確認して[同意する] にチェックマークを付ける

4 [次へ] をクリック

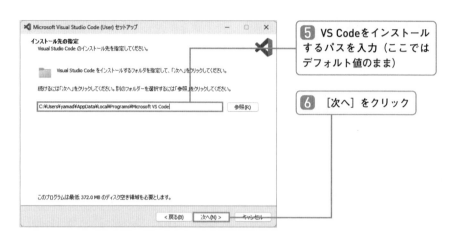

5 VS Codeをインストールするパスを入力（ここではデフォルト値のまま）

6 ［次へ］をクリック

7 ［次へ］をクリック

8 追加したいタスクにチェックマークを付ける（ここではデフォルト値のまま）

9 ［次へ］をクリック

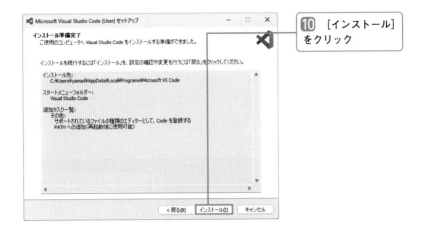

10 [インストール]
をクリック

インストールが開始された

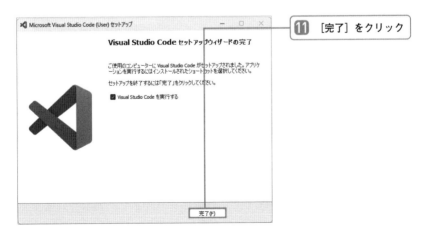

11 [完了] をクリック

▨ VS Codeを日本語化する

　インストールが完了すると、VS Codeが自動で起動します。もし起動しない場合は、Windowsのスタートメニューから起動しましょう。なお、VS Codeの画面を見るとわかるように、メニュー名が英語表記になっています。これではわかりづらいので、日本語化する手順を解説しましょう。

① 左下に表示されている［Extensions］アイコンをクリック

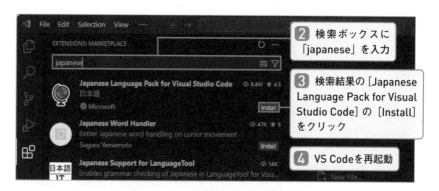

② 検索ボックスに「japanese」を入力

③ 検索結果の［Japanese Language Pack for Visual Studio Code］の［Install］をクリック

④ VS Codeを再起動

VS Codeが日本語表記になった

　VS Codeを再起動しても日本語表記にならない場合は、Ctrl＋Shift＋P キーで「コマンド パレット」を表示してください。その後、［Configure Display Language］→［日本語（ja）］の順にクリックし、表示されるダイアログで［Restart］をクリックしてください。

ここもポイント │ VS Codeの色を変更する

VS Codeは、初期状態だと画面の色が黒くなっています。暗くて見づらい場合は［ファイル］-［ユーザー設定］-［テーマ］-［配色テーマ］の順にクリックし、ライトテーマのいずれかを選択しましょう。本書ではこれ以降、配色テーマは「Light (Visual Studio)」とします。

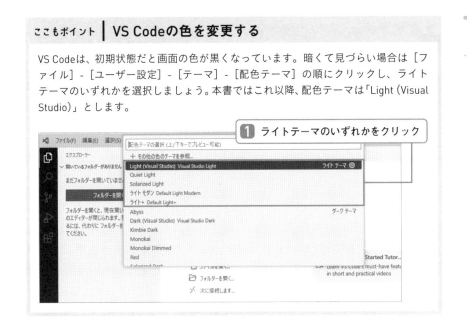

📄 Python用の拡張機能をインストールする

VS CodeにはPythonを記述するための拡張機能もあるので、インストールしておきましょう。インストールしておくと、入力した文字から始まるPythonの属性やメソッドが表示されたり、引数の概要が表示されたりするので、プログラミングがしやすくなります。

プログラムチェックツールをインストールする

　Pythonには、**PEP 8**と呼ばれるコーディングスタイルがあります。コーディングスタイルとは、「プログラムはこう記述しましょう」という決まりがまとめられているものです。Pythonではたとえば、「インデントには4つのスペースを使うこと」、「クラス名の先頭は大文字にすること」などがあります。PEP 8に従ってプログラミングすることで、見やすいプログラムを作成することができます。

- PEP 8
  https://peps.python.org/pep-0008/
- PEP 8(**日本語版**)
  https://pep8-ja.readthedocs.io/ja/latest/

　ただし、PEP 8に従っているかを目視で確認するのは大変です。そのため、PEP 8が守られているかをチェックしてくれるツールを入れておくと、簡単に確認できます。ここでは、PEP 8に加えてプログラムの不具合のもとになりそうな箇所を検出し、かつプログラムの自動整形も行う**Ruff**というツールを、VS Code上で使う方法を紹介します。

- Ruff(**ラフ**)
  https://marketplace.visualstudio.com/items?itemName=charliermarsh.ruff

　Ruffは、2022年にリリースされた比較的新しいツールですが、従来のプログラムエラー検出ツール(リンター)や自動整形ツール(フォーマッター)

に比べて非常に高速なので、近ごろとても人気が高くなっています。

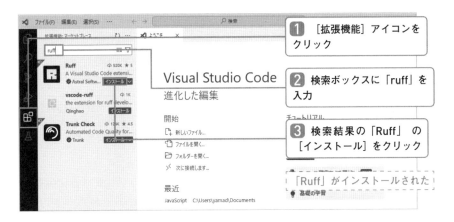

1 [拡張機能] アイコンを
クリック

2 検索ボックスに「ruff」を
入力

3 検索結果の「Ruff」の
[インストール] をクリック

「Ruff」がインストールされた

4 VS Codeで左下の [管理]
アイコンをクリック

5 [設定] をクリック

6 検索ボックスに「editor.
default.formatter」を入力

7 Default Formatterの
設定で [Ruff] を選択

8 検索ボックスに「editor.
formatOnSave」を入力

9 「Format On Save」に
チェックマークを付ける

　Ruffのインストールと設定が完了したので、Pythonのプログラムに問題が
ある場合は破線が表示されるようになります。詳細なエラーメッセージは、
［表示］-［ターミナル］の順にクリックすると表示される［問題］タブで
確認できます。またVS Codeの設定で「Editor: Format On Save」にチェッ
クマークを付けたので、ファイルを保存すると、インデント調整などのプロ
グラムの整形が自動で行われます。

```python
import logging
import sys
import pathlib

from openpyxl import Workbook

logging.basicConfig(
    filename="create_book.log",
    level=logging.INFO,
    format="%(asctime)s: [%(levelname)s] %(message)s",
)

logging.info("処理を開始しました")
try:
    count = sys.argv[1]
    for i in range(int(count)):
        wb = Workbook()
        ws = wb.active
        ws.title = "概要"

        file_name = f"資料_{i + 1}.xlsx"
```

［問題］タブでエラーメッセージを確認できる

問題 1　出力　デバッグ コンソール　ターミナル　ポート

logging_create_book.py 1

'pathlib' imported but unused Ruff(F401) [Ln 3, Col 8]

Pythonのプログラムを実行する

それでは、Pythonでプログラムを作成し、実行してみましょう。最初なので、簡単な計算を行うだけのプログラムです。

プログラムの作成はVS Code、Pythonの実行はターミナルで行います。

◼ VS CodeでPythonのプログラムを作成する

1 VS Codeで［ファイル］-［フォルダーを開く］の順にクリック

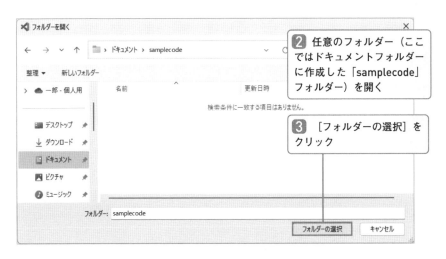

2 任意のフォルダー（ここではドキュメントフォルダーに作成した「samplecode」フォルダー）を開く

3 ［フォルダーの選択］をクリック

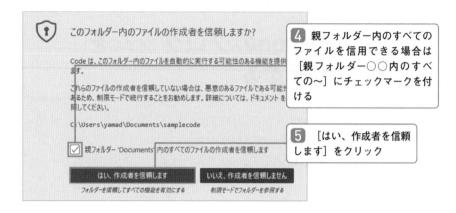

4 親フォルダー内のすべての
ファイルを信用できる場合は
[親フォルダー○○内のすべ
ての～]にチェックマークを付
ける

5 [はい、作成者を信頼
します]をクリック

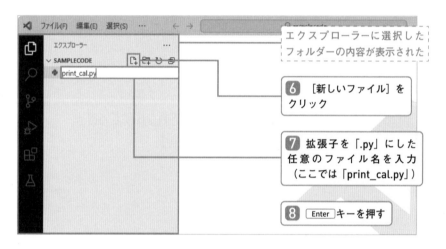

エクスプローラーに選択した
フォルダーの内容が表示された

6 [新しいファイル]を
クリック

7 拡張子を「.py」にした
任意のファイル名を入力
（ここでは「print_cal.py」）

8 Enter キーを押す

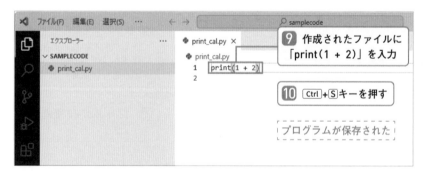

9 作成されたファイルに
「print(1 + 2)」を入力

10 Ctrl + S キーを押す

プログラムが保存された

print_cal.py

```
01 print(1 + 2)
```

◤ Pythonのプログラムをターミナルで実行する

　Windows Terminal（以降、ターミナル）で、Pythonのプログラムを実行しましょう。ターミナルとは、Windowsに標準で搭載されているCLI（コマンドラインインターフェース）です。ターミナルを起動すると、黒いウィンドウが表示されます。CLIは、このウィンドウに**コマンド**と呼ばれる命令文を入力することで、パソコンを操作するツールのことです。

ターミナルの画面

　それに対して、普段パソコンでブラウザを立ち上げたり、エクスプローラーでファイルを作成したりする画面はGUI（グラフィカルユーザーインターフェース）と呼ばれるものです。GUIはアイコンやボタンをクリックすることでパソコンを操作するので、視覚的にわかりやすいのが特徴です。CLIは視覚的にわかりにくいので苦手意識がある人も多いと思いますが、慣れるとGUIより速く操作が可能です。

　本書では、VS Codeで作成したサンプルプログラムをターミナルで実行します。

Pythonのプログラムをターミナルで実行する方法

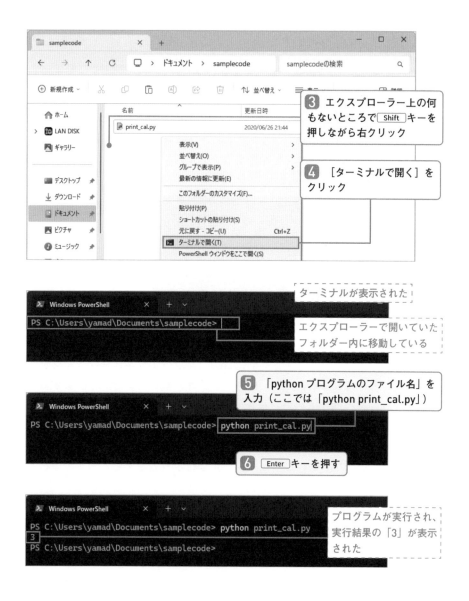

3 エクスプローラー上の何もないところで Shift キーを押しながら右クリック

4 [ターミナルで開く] を クリック

ターミナルが表示された

エクスプローラーで開いていたフォルダー内に移動している

5 「python プログラムのファイル名」を入力（ここでは「python print_cal.py」）

6 Enter キーを押す

プログラムが実行され、実行結果の「3」が表示された

◪ ターミナルで使える便利なコマンド

カレントフォルダーを移動する

　ターミナルでは現在位置のフォルダー（以降、カレントフォルダー）のパスが表示されています。ターミナルで実行するプログラムやコマンドは、このカレントフォルダー上で実行されます。そのため、実行したいプログラム

が別のフォルダーにある場合は、ターミナル上でそのフォルダーに移動します。カレントフォルダーの移動は**cdコマンド**で行います。

```
> cd  移動先のパス
```

カレントフォルダーから1つ上のフォルダーに移動したい場合は、cdコマンドのあとに「..」を入力します。

```
> cd ..
```

ためしに、カレントフォルダー（「samplecode」フォルダー）と同じ階層に「test」フォルダーがあると想定した場合に、「cd ..」を入力して移動する方法を紹介しましょう。

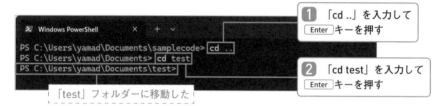

カレントフォルダーにあるファイルの名前を表示する

ターミナル上でPythonのプログラムを実行するには、「python プログラムのファイル名」を入力します。「python」とプログラムのファイル名の間は、半角スペースを入力します。ただし、プログラムのファイル名が長い場合は、文字を1つずつ入力するのではなく、カレントフォルダーにあるファイルの名前から選択するほうが簡単です。ターミナルで Tab キーを押すと、カレントフォルダーにあるファイルの名前が順番に表示されます。

ためしに、カレントフォルダーにある「test_1.py」を実行するのに Tab キーを使ってみましょう。カレントフォルダーには、「print_cal.py」と「test_1.py」の2ファイルが格納されているとします。

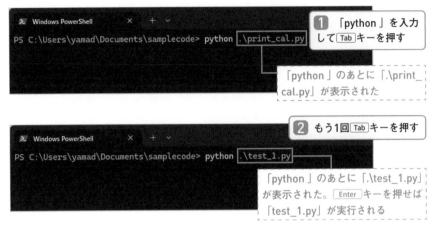

1 「python」を入力して Tab キーを押す

「python」のあとに「.\print_cal.py」が表示された

2 もう1回 Tab キーを押す

「python」のあとに「.\test_1.py」が表示された。 Enter キーを押せば「test_1.py」が実行される

　ファイル名を途中まで入力した状態で Tab キーを押すと、入力した文字列で始まるファイル名が順番に表示されます。カレントフォルダーにあるファイル数が多いときに使用してみましょう。

実行したコマンドの履歴を表示する

　ターミナル上で続けて操作を行っていると、以前入力したコマンドと同じものを入力したいケースが出てきます。たとえば、カレントフォルダーから2つ上のフォルダーに移動するとき、1回目に「cd ..」と入力して、2回目も「cd ..」を入力するのは少々手間です。ターミナルで ↑ キー、または ↓ キーを押すと、これまで実行したコマンドの履歴を表示できます。ただし、表示できる履歴はそのウィンドウで実行したコマンドのみであり、ターミナルウィンドウを閉じると履歴もクリアされるので注意してください。

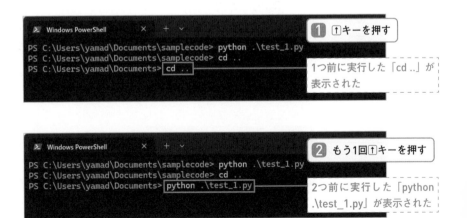

1 ↑ キーを押す

1つ前に実行した「cd ..」が表示された

2 もう1回 ↑ キーを押す

2つ前に実行した「python .\test_1.py」が表示された

○○5 サードパーティ製パッケージをインストールする

▨ パッケージとは

PythonでExcelを操作するには、openpyxlというパッケージが必要です。openpyxlの詳細はChapter 2で解説するので、まずはパッケージの概要と、パッケージのインストール方法を解説しましょう。

Pythonの**パッケージ**とは、ある機能を提供するプログラムをまとめて配布形式にしたものです。パッケージをインストールするとライブラリとして使えるので、さまざまな属性やメソッドが利用可能になります。そのため、より高度なプログラムが簡単に作成できます。

Pythonには大きく2種類のライブラリがあります。1つ目は**標準ライブラリ**、2つ目は**サードパーティ製パッケージ**です。標準ライブラリとはPythonに標準で用意されているもので、Pythonをインストールすると同時にインストールされます。

対してサードパーティ製パッケージとは、Pythonの標準ではなく、個別にインストールする必要があるものです。あくまで「自分が必要なものだけインストールして使ってね」という位置付けで公開されています。サードパーティとは「第三者」という意味で、個人で開発しているものから、企業が開発しているものまでさまざまです。提供されている機能も文字の変換レベルのものから、データ分析や機械学習に使えるものまで、実に幅広いです。豊富なサードパーティ製パッケージがあることは、Pythonの人気が高い理由の1つなのです。代表的なサードパーティ製パッケージを次にまとめます。

名前	説明
openpyxl	Excelファイルを操作する
pandas	データ解析を行う
Pillow	画像処理を行う
jaconv	文字の変換を行う
Beautiful Soup 4	HTMLおよびXMLファイルからデータを抽出する
Selenium	ブラウザー操作を自動化をする
NumPy	科学技術計算を行う
SciPy	高度な科学技術計算を行う
scikit-learn	機械学習を行う
Matplotlib	グラフのプロット
Django	Webアプリケーションを作成するフレームワーク

☑ パッケージのインストール方法

　サードパーティ製パッケージのほとんどは、**PyPI（Python Package Index）** と呼ばれるリポジトリで管理されています。PyPIがあるおかげで、ユーザーはパッケージのインストールを、パッケージごとのWebサイトから個別に行う必要がありません。

- PyPI
  https://pypi.org/

　パッケージのインストールは、Python標準のパッケージインストーラーである**pip**を使って行います。ここでは、pipの使い方を解説します。

　パッケージをインストールするには、**pip install**コマンドをターミナルで実行します。

```
> pip install パッケージ名
```

　インストールされているパッケージを確認したい場合は、**pip list**コマンドを使います。

```
> pip list
```

　PythonからExcelを操作するのに使うopenpyxlというパッケージをインストールしましょう。その後、openpyxlがインストールされたかを確認します。

　また、openpyxlをインストールする際は、依存パッケージも合わせてインストールされます。

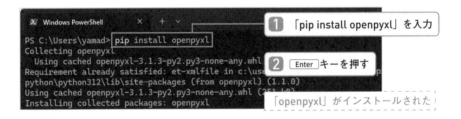

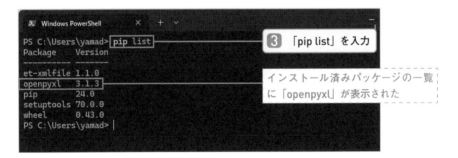

　もし、「pip install」実行時に、「pip：用語 'pip' は、コマンドレット、関数、スクリプト ファイル、または操作可能なプログラムの名前として認識されません」というエラーが発生した場合は、Pythonが正しくインストールされていない可能性があります。その場合は、P.15で紹介している手順で再インストールしてみてください。

パッケージをアップグレードする方法

　インストール済みのパッケージで新しいバージョンがリリースされた場合は、**-U**オプションでパッケージのアップグレードを行うことができます。

```
> pip install -U パッケージ名
```

パッケージをアンインストールする方法

　パッケージをアンインストールするには、**pip uninstall**コマンドを使用します。

```
> pip uninstall -y パッケージ名
```

　上記は「-y」オプションを付けているので、すぐにアンインストールが実行されます。

　一方、「-y」オプションを付けないで実行すると、「アンインストールを続行しますか？」という確認のメッセージが表示され、その後「Y」を入力すると、アンインストールが行われます。この入力がわずらわしいことは多いので、「-y」オプションを付けておくことをおすすめします。

ここもポイント | pip本体のアップグレード

ターミナルでpip installなどを実行したとき、次のようなメッセージが表示されることがあります。

```
[notice] A new release of pip is available: 24.0 -> 24.1.1
[notice] To update, run: python.exe -m pip install --upgra
de pip
```

これは、今使用しているpipより新しいバージョンのpipが利用可能であることを表しています。pipが古いとインストールできないパッケージも存在するので、-Uオプションを使って、pip本体のアップグレードを行いましょう。

```
> pip install -U pip
```

◦◦6 Pythonのプログラムを デバッグする

☑ デバッグとは

デバッグとはプログラムのバグ（欠陥）を取り除くことです。また、バグを取り除くためにプログラムを1行ずつ実行して検証することをデバッグと呼ぶこともあります。プログラミングでは、必ずといってよいほどバグが発生します。そのためプログラムを完成させるには、バグを1つずつ取り除くことが必要なのです。ここでは、デバッグを行う3つの方法を解説します。

☑ print関数を使ってデバッグする

Pythonのプログラムをデバッグするには、**print関数**を使うと簡単です。print関数はPythonに標準で用意されている関数（組み込み関数）であり、画面に文字列を表示します。P.28で紹介したサンプルプログラム「print_cal.py」をもう一度見てみましょう。

print_cal.py
```
01 print(1 + 2)
```

このサンプルプログラムを実行すると、「1 + 2」の計算結果である「3」がターミナル上に表示されます。このようにprint関数は、渡された式の計算結果や文字列を画面に表示する関数なのです。

では、このprint関数を使ってプログラムのデバッグをしてみましょう。ExcelのセルA1〜A5に、"Hello"という文字列を設定するプログラムです。PythonからExcelを操作する方法はChapter 2以降で解説するので、プログラムの詳細を理解する必要はありません。

print_range.py
```
01 from openpyxl import Workbook
02
```

```
03  wb = Workbook()  ————————————— Excelファイルを新規作成
04  ws = wb.active
05
06  for row_count in range(1, 5):  ————— セルに"Hello"を設定する処理を繰り返す
07      cell_no = f"A{row_count}"  ————————— セル番地を作成
08      ws[cell_no] = "Hello"  ————————————— 指定したセルに"Hello"を設定
09
10  wb.save("test.xlsx")  ————————————— Excelファイルを保存
```

```
> python print_range.py ————— プログラムを実行
```

▲	A	B	C	D	E	F
1	Hello					
2	Hello					
3	Hello					
4	Hello					
5						
6						
7						

セルA1～A4に"Hello"という
文字列が設定された

　セルA1～A5に"Hello"という文字列が設定される想定でしたが、セルA1～A4にしか設定されていません。そのため、print関数を追加して原因を調べましょう。

print_range.py

```
01  from openpyxl import Workbook
02
03  wb = Workbook()
04  ws = wb.active
05
06  for row_count in range(1, 5):
07      print(row_count)  ————————— print関数でrow_count変数を画面に表示する
08      cell_no = f"A{row_count}"
09      ws[cell_no] = "Hello"
10
11  wb.save("test.xlsx")
```

```
> python print_range.py ————— プログラムを実行
1
2
3       繰り返し処理ごとのrow_count変数が表示される
4
```

　for文のrow_count変数の値を画面に表示するために、print関数を用いました。実行結果を確認すると、row_count変数には1、2、3、4の順に数値が設定されていました。そのため、for文は4回しか繰り返されていないことが

わかり、for文で使用しているrange関数の指定「range(1, 5)」がおかしいのではないか、と疑いを持つことができます。実際、range関数で1～5の値を生成するには、「range(1, 6)」と指定する必要があるのです。

このように、プログラム実行中の変数の値がわかると、バグの原因を推測しやすくなります。特に繰り返し処理では、変数の値をprint関数で表示しておくと、どこまで正常に処理が実行されたかが見えてきます。

バグの原因がわからない場合は、print関数を入れて再実行することをおすすめします。

breakpoint関数でデバッグする

2つ目は、Pythonの**breakpoint関数**を使う方法です。breakpoint関数を記述すると、その箇所でプログラムが一時停止してデバッグモードになり、ユーザーがターミナル上でPythonプログラムを記述、実行できるようになります。プログラムを1行ずつ実行できるので、どの処理まで正常に実行されており、どこで異常が発生しているのかを調べたり、ターミナル上にprint関数を記述して変数の値を確認したりすることが可能です。ただし、繰り返し処理が多い場合は少々手間がかかるので、必要に応じて使い分けてください。

print_range.py

```
01  from openpyxl import Workbook
02
03  wb = Workbook()
04  ws = wb.active
05
06  for row_count in range(1, 5):
07      breakpoint()  ──────── breakpoint関数を記述する
08      cell_no = f"A{row_count}"
09      ws[cell_no] = "Hello"
10
11  wb.save("test.xlsx")
```

```
> python print_range.py ──── プログラムを実行
-> cell_no = f"A{row_count}"
(Pdb)  ──────── プログラムが一時停止してユーザー入力が可能
```

デバッグモードになると「(Pdb)」という文字列が表示されます。この「Pdb」とは、Pythonデバッガーのことです。本モードでは、ターミナル上

にPythonのプログラムを記述可能です。

ここではまず、print関数を入力して[Enter]キーを押してみましょう。

```
(Pdb) print(row_count) ──── プログラムを実行
1 ──────────────── row_count変数の値が画面に表示された
```

次のブレークポイント（breakpoint関数を記述した箇所）まで処理を進めるには、**continueコマンド**を実行します。

```
(Pdb) continue ──────────── continueを実行
(Pdb) print(row_count) ──── プログラムを実行
2 ──────────────── 2回目の繰り返し時点のrow_count
                    変数の値が画面に表示された
```

デバッグモードを終了するには、**quitコマンド**を入力します。

```
(Pdb) quit ──────────────── quitを実行
```

ここもポイント | **デバッガコマンドの省略形**

breakpoint関数におけるデバッグモードでは、print関数を書くかわりに「p」と記述できます。たとえば、row_count変数を表示したいなら「p row_count」と記述できます。また、continueは「c」、quitは「q」という省略形が設けられているので、breakpoint関数の使用頻度が高い場合は、覚えておくとよいでしょう。
なお、使用できるコマンドはほかにもあり、以下のページから確認できます。参考にしてください。

- デバッガコマンド
  https://docs.python.org/ja/3/library/pdb.html#debugger-commands

---

✅ VS Codeでデバッグする

3つ目は、VS Codeのデバッグ機能を使う方法です。プログラムを1行ずつ実行でき、変数の値や型も画面に表示されるので、確認したい変数が多い場合に使うとよいでしょう。print関数やbreakpoint関数と違って、プログラムを修正する手間もありません。また、この方法はGUIで操作できるので、breakpoint関数のデバッグに慣れない方におすすめの方法です。

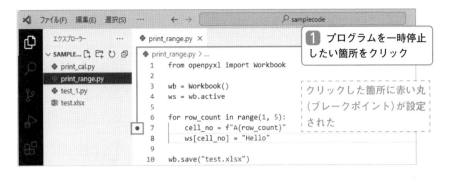

1 プログラムを一時停止したい箇所をクリック

クリックした箇所に赤い丸（ブレークポイント）が設定された

2 ［…］- ［実行］- ［デバッグの開始］の順にクリック

3 ［Python Debugger］をクリック

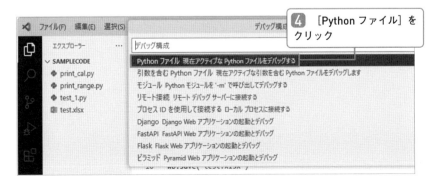

4 ［Python ファイル］をクリック

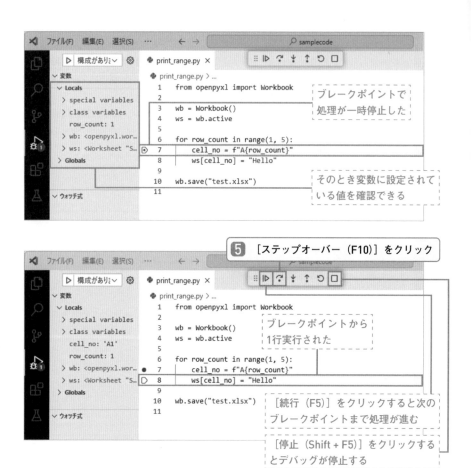

5 ［ステップオーバー（**F10**）］をクリック

Pythonによる
Excel操作の基本

Excelファイルの操作を 行えるライブラリopenpyxl

◢ openpyxlとは

　Excelファイルを Python から操作するには、**openpyxl**というライブラリを使用します。openpyxlは、Excelが利用する **Office Open XML**と呼ばれる形式のファイルを読み書きします。ExcelのVBAはExcelというアプリケーション自体を動かしますが、openpyxlはOffice Open XML形式のファイルを編集して同等の結果を出すという点が大きな違いです。また、Excel VBAはExcelファイルを開いて処理を実行しますが、openpyxlはファイルを開かずにExcelのデータに対して処理を実行するという点も異なります。

　なお、openpyxlの公式ドキュメントによると、サポートしているのはExcel 2010以降のExcelファイル（拡張子がxlsx、xlsm、xltx、xltm）とされています。Excel 2007以前で作成されたExcelファイルも編集可能ですが、正しく動作しない可能性があります。また、Excel 2003以前の拡張子であるxlsのファイルは利用できません。

- **openpyxl公式ドキュメント**
  https://openpyxl.readthedocs.io/en/stable/

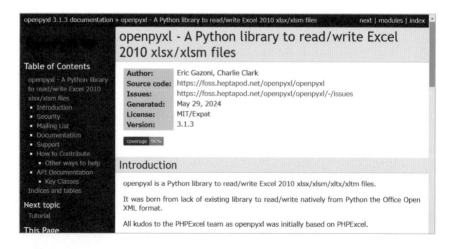

　openpyxlを使ったプログラムの注意点は、操作する対象のExcelファイルがユーザーによって開かれていると、実行時にエラー（PermissionError）が発生することです。エラーが発生した場合は、対象のファイルが開かれていないかを確認しましょう。

　openpyxlはPythonのサードパーティ製パッケージなので、追加でインストールする必要があります。インストールしていない場合は、P.35を参照してインストールしましょう。

■ Excel用語のおさらい

　Excelファイルを扱う上で重要な用語を次にまとめます。

用語	説明
ブック	Excelファイルのこと
シート	データを入力する場所（セル）が表形式に並べられたもの。ブックには1つ以上のシートが含まれる
セル	表の1つのマス目のこと。ここに1つのデータを記録できる。シートには多数のセルが含まれる

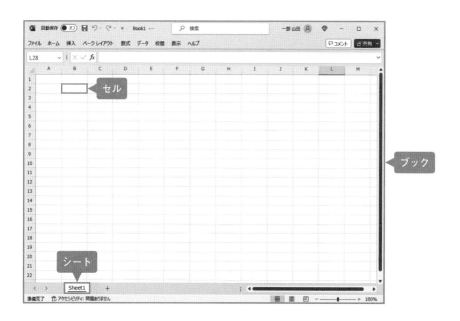

◪ openpyxlの主なパッケージ

openpyxlは、先ほど述べたExcelの「ブック」や「シート」などに対応する、複数のパッケージで構成されています。主なパッケージを紹介します。

用語	説明
reader	ブックの読み込みを行う関数（load_workbook()）を提供する
workbook	1つのブックを表す。ブックに関する属性やメソッド（ブックの保存や、シートの新規作成・移動・コピーなど）を提供する
worksheet	1つのシートを表す。workbookには多数のworksheetが紐づく。シートに関する属性やメソッド（シートの行や列の挿入・削除、セルの結合、印刷設定など）を提供する
cell	1つのセルを表す。worksheetには複数のcellが紐づく。セルに関する属性やメソッド（セルの値や、ハイパーリンク、メモなど）を提供する
styles	書式設定に関する属性やメソッド（フォント、罫線、塗りつぶし、セルの保護など）を提供する。本パッケージに含まれるクラスで書式を生成し、その書式をcellに適用することで、セルの書式設定が可能

上記のうち、workbook（ブック）、worksheet（シート）、cell（セル）の3つのパッケージとExcelの対応は以下のようになっています。この構造を把握しておくことが、openpyxlを使いこなすコツなので、よく理解しておきましょう。

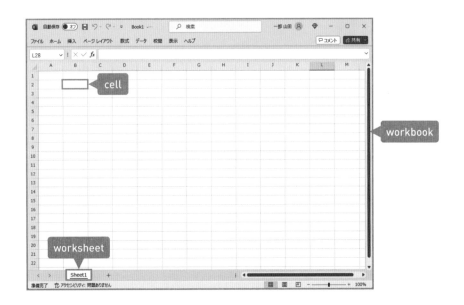

openpyxlはExcel VBAとはかなり違う！？

openpyxlは、Excel VBAとは機能やメソッド名がかなり異なります。その ため、openpyxl公式ドキュメントで調べものをする際、Excel VBAのメソッド名で調べても同名のメソッドや似た機能が見当たらず、「どう調べればいいのだろう？」と悩む場合があります。

openpyxlについてはこのあとのページで説明していきますが、Excelの代表的な機能についてはopenpyxlの公式ドキュメントでも解説されています。

- Tutorial

  https://openpyxl.readthedocs.io/en/stable/tutorial.html
- Simple usage

  https://openpyxl.readthedocs.io/en/stable/usage.html

探している機能が上記のページにない場合は、「自分が探している機能がどのパッケージにありそうか」を推測してから調べるとよいでしょう。

たとえば、シートを新規作成したいとしましょう。一見、シートの作成機能は、 シートを表すworksheetパッケージにありそうです。 しかし、worksheetパッケージを調べても、該当する機能は見当たりません。先ほどの表でも述べましたが、worksheetパッケージはあくまで1つのシートを表し、複数のシートを管理しているのは、workbookパッケージです。そのため、「もしかしたら、workbookに該当する機能があるかもしれない」と予想してみましょう。実際、シートを新規作成する機能はworkbookパッケージにあり、workbook.Workbookクラスのcreate_sheet()というメソッドです。

このように公式ドキュメントで調べる際は、「この機能はどのパッケージにありそうか」を予想してみるとよいでしょう。

008 複数のブックを一発で作成する

最初のサンプルプログラムは、ブック（Excelファイル）の作成です。シート名は「概要」、ブック名は「資料.xlsx」で、ブックを1つ作成してみましょう。

```
> python create_book.py ──────── プログラムを実行
```

ブックが1つ作成される

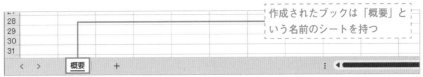

作成されたブックは「概要」という名前のシートを持つ

ブックを作成する方法

ブックを作成するには、**Workbookオブジェクト**を使用します。本書では、**ブックはwb、シートはws**という変数に代入します。これらの変数名はWorkbookとWorksheetを略したもので、以降も基本的にこれらの変数名を使用します。

```
wb = Workbook()
```

この段階ではブックは変数に入っているだけなので、ファイルとしては存在していません。**Workbook.saveメソッド**を呼び出すと、ブックを保存できます。メソッドの引数には、保存時に付けたい名前を記述します。

```
wb.save(ブック名)
```

　注意してほしいのは、openpyxlでは**saveメソッドを呼び出さない限り、それまで行った操作が保存されない点**です。そのため必要な処理が終わったら、保存したいブックのsaveメソッドを呼び出す必要があります。openpyxlを使ったプログラミングで最初につまずきやすい点なので、覚えておきましょう。

　2点目は、saveメソッドは保存するファイル名と同名のファイルがすでにあっても、**警告やエラーを表示することなく、同名のファイルを上書き保存する点**です。そのためプログラムを実行する前に、上書きされたくない同名のファイルがないことを確認しましょう。

シートの名前を設定する

　ブックの作成はこれで終わりですが、サンプルプログラムではシート名も設定するので、それについても説明しましょう。ブックを作成すると、シートが必ず1つ作成されます。Excelファイルで選択しているシートをアクティブなシートといい、**Workbook.active属性**で取得できます。

```
ws = wb.active
```

　新規作成されたシートの名前は、デフォルトで「Sheet」となるので必要に応じて変更します。シート名は**Worksheet.title属性**で設定します。

```
ws.title = シート名
```

▣ ブックを1つ作成する

　それでは、先ほど紹介したメソッドを使用した、ブックを1つ作成するサンプルプログラムを見てみましょう。

create_book.py
```
01  from openpyxl import Workbook
02
03  wb = Workbook()            ブックを作成
04  ws = wb.active             Excelで選択しているシートを取得
05  ws.title = "概要"          シートの名前を設定
06  wb.save("資料.xlsx")       ブックを保存
```

「ブックを1つ作成する」プログラムを実行すると、P.48で示したように、「資料.xlsx」というブックが作成されます。

指定した数のブックを作成する

次は、ユーザーに数値を入力させ、その数だけ空のブックを新規作成するプログラムを紹介します。ブックは、資料_1.xlsx、資料_2.xlsx……という名前で保存します。

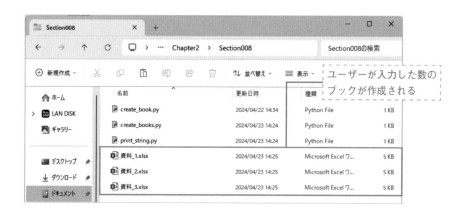

それではサンプルプログラムを見てみましょう。

create_books.py

```
01  from openpyxl import Workbook
02
03  count = input("作成するブック数: ")          作成するブック数を入力
04  for i in range(int(count)):
05      wb = Workbook()                         ブックを作成
06      ws = wb.active                          Excelで選択しているシートを取得
07      ws.title = "概要"                        シートの名前を設定
08      wb.save(f"資料_{i + 1}.xlsx")            ブックを保存
```

まず、input関数で作成するブック数を入力させます。入力された値の数でブックを作成するために、for文で繰り返し処理を行います。

ブック名を連番にする

作成されたブックの名前は、「資料_1.xlsx」、「資料_2.xlsx」……という連番になります。このように、ある文字列内に変数の値を含めるには、**フォーマット済み文字列リテラル（f-strings）** を使用します。f-stringsは、クォートの前に「f」を付け、文字列内で変数を差し込みたい箇所に「{変数名}」を記述します。以下の例を見てください。

print_string.py

```
01  value = 1
02  print(f"ブック名_{value}.xlsx")
```

```
> python print_string.py ─────── ①プログラムを実行
ブック名_1.xlsx ──────── value変数の値が差し込まれた
```

value変数を差し込むことで、「ブック名_1.xlsx」という文字列を生成できます。もともとPythonには、文字列内に変数を埋め込む方法として、formatメソッドが用意されています。しかし、Python 3.6で導入されたf-stringsのほうが直観的でわかりやすいので、本書でも、f-stringsを用いて解説していきます。

ここもポイント ┃ アクティブなシート、アクティブなセルとは？

先ほど、wb.activeで選択しているシートを取得できると説明しました。しかし、openpyxlの場合、プログラムの実行中はExcelで開いていてはいけないため、「選択している」は少しおかしいですね。Excel VBAのアクティブシートやアクティブセルは、Selectメソッドなどで選択したシート、セルを指します。しかし、openpyxlの場合は選択という操作がなく、アクティブにしていないシートやセルも操作できます。ただし、wb.activeでシートを指定してから保存すると、次にExcelで開いたときにそのシートが選択状態で表示されます。つまり、openpyxlにおけるwb.activeとは、「ブックをExcelで開いたときに選択されているシート」のことだといえます。

009 | 特定のシート数の ブックを作成する

　次はブックではなく、シートを複数作成してみましょう。ブックのときと同様にユーザーに数値を入力させて、その数だけシートを持つ「資料.xlsx」というブックを作成します。シート名は「概要_1」、「概要_2」……という名前で設定します。

```
> python create_sheets.py ──❶プログラムを実行
全シート数: 3 ──❷作成するシート数を入力
```

資料.xlsxが作成される

ブックに、ユーザーが入力した数のシートが作成される

シートを作成する方法

　シートを作成するには、**Workbook.create_sheet**メソッドを使用します。

```
wb.create_sheet(title=シート名)
```

　シート名はtitle引数で指定します。シートは、ブックの末尾に作成されます。

◢ 指定した数のシートを作成する

それではサンプルプログラムを見てみましょう。

create_sheets.py

```
01  from openpyxl import Workbook
02
03  count = input("全シート数: ")          作成するシート数を入力
04
05  wb = Workbook()
06  ws = wb.active
07  ws.title = "概要_1"
08
09  for i in range(2, int(count) + 1):
10      wb.create_sheet(title=f"概要_{i}")    シートを新規作成
11
12  wb.save("資料.xlsx")
```

まず、input関数で作成するシート数を入力させます。ブックを新規作成するとシートが必ず1つ作成されるので、そのシートの名前をWorksheet.title属性で「概要_1」に設定しましょう。

そのあとは足りないシートを作成するため、for文でcreate_sheetメソッドを呼び出します。シート名には連番を入れたいため、f-stringsを使用しています。

なお、シートを削除する場合は、Workbook.removeメソッドを使います。詳細はP.69で説明します。

ここもポイント │ create_sheetメソッドで作成されるシートの位置

create_sheetメソッドは、何も指定しない場合はブックの末尾にシートを作成します。ただし、決まった位置にシートを作成したい場合もあるでしょう。create_sheetメソッドのindex引数を使うと、シートを作成する位置を指定できます。index引数を0にするとシートはブックの先頭に作成され、index引数を1にするとシートは2番目に作成されます。

```
wb.create_sheet(title="先頭のシート", index=0)   ブックの先頭に作成
wb.create_sheet(title="2番目のシート", index=1)  2番目に作成
```

010 | 複数ブックのセルを 取得して一覧にする

　次は、複数ブックのデータを集めて1つのブックにまとめるサンプルプログラムです。読み込むブックが1つだけでは実用性がないため、ブックは「books」フォルダーに複数あるとし、順に読み込むようにします。

　このような、ブックを1つずつ開き、特定のセルをコピーして転記する……という操作は業務でよくありますね。操作対象のブックが多ければ多いほど、手作業で行うのはとても時間がかかりますし、ミスも多くなりがちです。こういった単純作業は、Pythonで自動化しましょう。

チェックリスト_satou.xlsx

B	C
部署名	営業二課
氏名	佐藤幸子
項番	チェック項目
1	スクリーンセーバーを5分以下で設定している
2	ウィルス対策ソフトをインストールしている
3	定期的なウィルススキャンを設定している
4	パソコンは帰宅時にロッカーに締まっている
5	離席時にパソコンの画面をロックしている

チェックリスト_suzuki.xlsx

B	C
部署名	営業一課
氏名	鈴木太郎
項番	チェック項目
1	スクリーンセーバーを5分以下で設定している
2	ウィル...
3	定期的...
4	パソ...
5	離席時にパソコンの画面をロックしている

各ブックのセルC2に部署名、C3に氏名が記入されている

```
> python read_books.py        プログラムを実行
```

一覧表.xlsx

	A	B	C	D	E
1					
2		部署名	氏名		
3		営業二課	佐藤幸子		
4		営業一課	鈴木太郎		
5					
6					
7					
8					
9					
10					
11					
12					
13					
14					

各ブックの「部署名」、「氏名」の値が、1つのブックにまとまった

☑ ブックを読み込み、セルを取得・設定する方法

既存のブックを読み込むには、**load_workbook関数**を使用します。

```
load_workbook(ブック名, read_only=True)
```

load_workbook関数には、**read_only**という引数があります。read_only=Trueにすると、ブックを読み込み専用で取得します。そのため、読み込むブックに対して変更や保存を行いたくない場合や、大量のデータを高速で読み込みたい場合は、Trueにしておきます。なお、読み込み専用モードの場合は、「wb.close()」でブックを閉じることが必要です。

ブックを読み込んだら、どのシートのセルを取得するかを指定します。前のセクションでは「現在選択されているシート」を取得する方法を紹介しましたが、シート名で指定したい場合も多いでしょう。シート名を指定して取得するには、次の書式で行えます。

```
wb[シート名]
```

操作するシートを指定したら、次は取得したいセルを指定する方法です。セルの値は、以下の書式で取得できます。

```
ws[セル番地].value
```

セル番地とは、セルの位置のことです。シートのA列・1行目の場合、セル番地は「A1」と表します。Excelを使う人にとっては、おなじみの表記ですね。また、セルに値を設定するには、以下の書式で行います。

```
ws[セル番地] = 設定したい値
```

先ほどのセルの値を取得する方法とは違って、「.value」を付ける必要はありません。

ブックを読み込み、シートを選択し、セルを取得するというこの基本的な流れは、よく使うので、しっかり理解しておきましょう。

複数ブックのセルを取得して1つのブックにまとめる

それではサンプルプログラムを見てみましょう。

read_books.py

```
01  from pathlib import Path
02
03  from openpyxl import Workbook, load_workbook
04
05  wb_new = Workbook()
06  ws_new = wb_new.active
07  ws_new.title = "一覧表"
08
09  ws_new["B2"] = "部署名"        新規ブックのセルB2に「部署名」を設定
10  ws_new["C2"] = "氏名"          新規ブックのセルC2に「氏名」を設定
11
12  path = Path("./books")         booksフォルダーのパス情報を取得
13  for i, file in enumerate(path.glob("*.xlsx")):  「.xlsx」ファイルを取得
14      wb = load_workbook(file, read_only=True)     ブックを読み込む
15      ws = wb["チェックリスト"]                    「チェックリスト」シートを取得
16
17      row_no = i + 3                               値を設定する行番号を指定
18      ws_new[f"B{row_no}"] = ws["C2"].value        セルC2の値を新規ブックに設定
19      ws_new[f"C{row_no}"] = ws["C3"].value        セルC3の値を新規ブックに設定
```

```
20        wb.close() ─────────────────── 開いたブックを閉じる
21
22  wb_new.save("一覧表.xlsx") ───────── 新規ブックを保存
```

　セルを取得して1つのブックにまとめるため、まずは、Workbookオブジェクトで新規のブックを作成します。そして、先ほど紹介したメソッドを使ってセルを取得します。この処理は、ブックの数で繰り返します。

　for文でpath.glob("*.xlsx")と記述すると、拡張子が「.xlsx」のファイルを順に取得することができます。また、enumerate関数によって、for文を繰り返した回数がi変数に代入されます。このi変数は、新規ブックにセルの値を設定する際に「何行目のセルに設定すればよいのか」を指定するのに利用します。

　最後にWorkbook.saveメソッドを呼び出し、新規ブックを保存すればOKです。

複数のファイルを取得する

　ここで、Pythonの標準ライブラリである**pathlib**を紹介しましょう。pathlibとは、Pythonでファイルやフォルダーを扱う際に利用するライブラリです。

● pathlib
https://docs.python.org/ja/3/library/pathlib.html

　先ほどのサンプルプログラムでは、「books」フォルダーにあるファイルを取得するために、「books」フォルダーのパス情報をpathlibで取得しています。pathlibでは**Pathオブジェクト**でパスを表します。

```
path = Path(フォルダーのパス)
```

　たとえば、Path(".")と記述すると、カレントフォルダーを表すPathオブジェクトが作成されます。

　booksフォルダーの配下で、拡張子が「.xlsx」のブックのみを順に取得するために、**Path.globメソッド**を使用しています。globメソッドは、glob("*.xlsx")といった記述をすると、条件に一致したファイルのみを取得できます。

```
path.glob(条件)
```

globメソッドを使うと、for文の中で、拡張子が「.xlsx」の場合のみ取得するという条件分岐（if文）を記述する必要がなくなるので、見た目にもわかりやすいプログラムになります。globメソッドでよく使われる条件を、以下にまとめます。

条件	説明
*.xlsx	「*」は任意の文字0文字以上を表す。この例では、拡張子が「.xlsx」のファイルを取得する
a*.xlsx	この例では、ファイル名がaで始まり、拡張子が「.xlsx」のファイルを取得する
*[0-9].xlsx	[]は特定の文字1文字を表す。この例では、ファイル名の末尾が0〜9のうちどれか1文字で、拡張子が「.xlsx」のファイルを取得する

pathlibにはglobメソッド以外にも、さまざまなメソッドが用意されています。代表的なものを紹介しましょう。

メソッド	説明
path.exists()	存在するフォルダー、ファイルかどうかを返す
path.is_dir()	フォルダーかどうかを返す
path.is_file()	ファイルかどうかを返す
path.iterdir()	フォルダー、ファイルの一覧を取得する
path.match()	パターンに一致するかどうかを返す
path.resolve()	相対パスを絶対パスに変換する

P.45でも紹介しましたが、プログラムを実行する際に対象のブックを開いたままだと、実行時にエラー（PermissionError）が発生します。エラーが発生した場合は、対象のファイルが開かれていないかを確認しましょう。トラブルシューティング（P.287）でも詳細を説明しているので、合わせて参考にしてください。

011 複数シートの名前と見出しの色を一括で整える

　すでに多くのシートを作成したあとで、シート名に連番を付けたい、頭に決まったキーワードを付けたいといったことはよくあります。ここではそのようなシーンを想定して、シート名の先頭に決まった文字列（ID_）を付けるサンプルプログラムを紹介します。また、シート数が多い場合に決まった区切り（たとえば10シートずつ）のシートの色を変更しておくと、対象のシートを探すのが楽になります。今回は、10シートおきに、シート見出しの色も変更してみましょう。

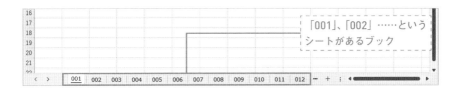

```
> python change_sheetname.py ─────── プログラムを実行
```

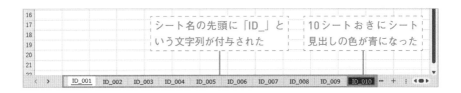

シート名とシート見出しの色を変更する方法

　シート名を変更するには、Worksheet.title属性を使用します。そして、シートの見出しの色は、**WorksheetProperties.tabColor属性**に色を指定することで変更できます。

```
ws.sheet_properties.tabColor = RGB形式の色
```

tabColor属性の前に記述したsheet_propertiesとは、シートの見た目や設定の情報を持つWorksheetPropertiesオブジェクトを表します。色はRGB形式で指定します。**RGB形式**とは、Excelが色の管理に使うしくみの1つで、光の3原色である赤・緑・青の強さを指定して表現します。たとえば、黒色は「000000」、青色は「0000FF」となります。RGB形式による色指定は、Excelの画面上で色を設定するときにも使われます。以下の画面を見たことがある方も多いでしょう。

Excelの画面上でフォントや塗りつぶしの色を指定するときに表示される画面

RGB形式による色指定

　繰り返し処理をするためには、**Workbook.worksheets属性**ですべてのシートを取得します。worksheets属性は、シートを表す「Worksheetオブジェクト」をリストで返します。

```
wb.worksheets
```

◢ 全シートの名前と見出しの色を整える

　それではサンプルプログラムを見てみましょう。

change_sheetname.py

```
01  from openpyxl import load_workbook
02
03  wb = load_workbook("集計.xlsx")────── ブックを読み込む
04
05  for i, ws in enumerate(wb.worksheets): ─ すべてのシートに対して繰り返す
```

```
06        ws.title = "ID_" + ws.title ───────── シート名の先頭に「ID_」を付与
07        if (i + 1) % 10 == 0: ───────── 「10シートおき」の条件
08            ws.sheet_properties.tabColor = "0000FF" ─── シート見出しの
                                                            色を青色にする
09
10   wb.save("集計_変更後.xlsx")
```

　先ほど解説したメソッドを使ってシート名と見出しの色を整えています。この処理は、worksheets属性で取得したすべてのシートに対して繰り返します。

　本サンプルプログラムで重要なポイントがあります。このように、既存のブックを操作して保存する場合は、**必ず別のファイル名を指定して、異なるブックとして保存する**ようにしましょう。

```
wb = load_workbook("集計.xlsx")
wb.save("集計_変更後.xlsx") ───────── 読み込んだブックとは別名で保存
```

　上書き保存してよいブックであっても、作成したプログラムやopenpyxlにバグがあると不適切な内容でブックが更新される恐れがあります。そのため、元のブックは必ず残しておきましょう。

ここもポイント ┃ openpyxlでのブックの読み込み

P.55で、ブックを読み込むload_workbook関数のread_only引数を解説しました。しかし、シートの名前や見出しの色を変更するといった、ブックに対して何らかの変更を行いたい場合は、read_only引数をTrueにしてしまうとプログラムの実行時にエラーが発生します。　これは、　ブックの変更を行う関数やメソッドは、read_only=Trueを指定して読み込んだブックでは呼び出せないようになっているためです。そのため、**ブックに何らかの変更を行う場合は、load_workbook関数のread_only引数は記述しない**ようにしましょう。

```
wb = load_workbook(ファイル名) ───────── read_only引数を記述しない
```

012 過去資料のシート数を集計して作業量を見積もる

　今回は、複数ブックのシート数を集計します。ビジネスでスケジュールを立てる際、過去の成果物を参考にして作業量を見積もるケースは多いでしょう。その成果物がExcelブックの場合は、Excelのシート数が作業量の目安になります。シート数がわかると、「10シートあるため、作成に2日はかかる」といった定量的なスケジュール検討ができるようになります。

　また、Excelではシートを非表示にする機能があります。非表示のシートは作業量に含めないほうがよいことが考えられます。そのため本サンプルプログラムでは、非表示のシートも含んだ全シート数と非表示のシート数という、2つのパターンで集計します。

manual_1.xlsx

16				
17				
18				
19				
20				
21				
22				

< >　1 2 3 4　+

manual_2.xlsx

16						
17						
18						
19						
20						
21						
22						

< >　1 2 3 4 5 6　+

「books」フォルダーには2つのブックがある

全シート数は6であり、「manual_1.xlsx」には非表示のシートが2つ存在する

```
> python count_sheet.py ──────── プログラムを実行
```

シート数集計.xlsx

	A	B	C	D	E	F
1						
2		ブック名	全シート数	非表示シート数		
3		manual_1.xl	6	2		
4		manual_2.xl	6	0		
5						
6						
7						
8						
9						

各ブックの、シート数と非表示シート数が集計された

■ シート数を取得する方法

　openpyxlに、ブックのシート数を取得する属性はありません。そのため、**Workbook.sheetnames属性**を利用します。sheetnames属性は、ブックのシート名をリストで返します。たとえば、シート名が1〜6の連番の場合、["1", "2", "3", "4", "5", "6"]を返します。

```
wb.sheetnames
```

　sheetnames属性で取得したリストの長さを、len関数を用いて取得することでシート数が求められます。

　また、シートの表示・非表示は、**Worksheet.sheet_state属性**から取得できます。

```
ws.sheet_state
```

　そのシートが表示されている場合、sheet_state属性の値はWorksheet.SHEETSTATE_VISIBLE定数と一致します。そのため、sheet_state属性の値がSHEETSTATE_VISIBLEと一致していないシートを数えることで、非表示のシート数が取得できます。

■ 複数ブックのシート数を集計する

　それではサンプルプログラムを見てみましょう。

count_sheet.py

```
01  from pathlib import Path
02
03  from openpyxl import Workbook, load_workbook
04
05  wb_new = Workbook()
06  ws_new = wb_new.active
07  ws_new.title = "集計"
08
09  ws_new["B2"] = "ブック名"
10  ws_new["C2"] = "全シート数"
11  ws_new["D2"] = "非表示シート数"
12
13  path = Path("./books")
14  for i, file in enumerate(path.glob("*.xlsx")):
```

```
15        wb = load_workbook(file)
16
17        row_no = i + 3
18        ws_new[f"B{row_no}"] = file.name ─────────── ブック名を取得
19        ws_new[f"C{row_no}"] = len(wb.sheetnames) ── シート数を取得
20
21        hidden_worksheets = [
22            ws for ws in wb.worksheets if ws.sheet_state !=
    ws.SHEETSTATE_VISIBLE
23        ]
24        ws_new[f"D{row_no}"] = len(hidden_worksheets) ── 非表示シート数
25
26 wb_new.save("シート数集計.xlsx")
```

　先ほど解説したメソッドを使って、シート数を取得します。この処理は、ブックの数で繰り返します。非表示のシート数を求める際は、Pythonのリスト内包表記を使用して、非表示のシートのみをリストにしています。そのリストにlen関数を用いることで、非表示のシート数を求めています。

ここもポイント ┃ Excelのシート名にはルールがある

openpyxlでは、Excelのシート名を設定できることはすでに述べましたが、Excelの仕様として、シート名には使えない文字があるので、ここで紹介しておきましょう。

Excelのシート名には、以下の文字が使えません。

- **空白**
- **特殊文字の/\?*:[]**
- **"履歴" という名前**

また、以下のルールもあります。

- **31文字以上は入力できない**
- **先頭と末尾をアポストロフィ(')にできない**

そのため、openpyxlでシート名を設定する際は、上記の内容に注意してください。

013 | 特定の名前のシートを移動する

　シートの移動は、Excelでよく行う操作です。数シートであれば手作業でもできますが、対象のシートやブック数が多い場合は、プログラムで行うと簡単です。ここでは、シートを移動する位置に合わせて、3通りのサンプルプログラムを紹介しましょう。移動するのは「まとめ」という名前のシートとします。

■ シートを現在位置から移動する方法

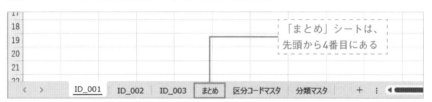

```
> python move_sheet.py ──── プログラムを実行
```

　シートを移動するには、**Workbook.move_sheetメソッド**を使用します。

```
wb.move_sheet(シート名またはシート,
              offset=シートの移動先を表す数)
```

　移動するシートにはシート名だけではなく、対象のシート（Worksheetオブジェクト）を渡すことも可能です。シートの現在位置を基準に、offset引数に渡した数でシートが移動します。

　それではサンプルプログラムを見てみましょう。

move_sheet.py

```
01  from openpyxl import load_workbook
02
03  wb = load_workbook("チェックリスト.xlsx")
04
05  wb.move_sheet("まとめ", offset=1) ──── シートを現在位置から1つ後ろに移動
06
07  wb.save("チェックリスト_変更後.xlsx")
```

　move_sheetメソッドのoffset引数に「1」を渡すと、シートは現在位置から1つ後ろに移動します。また、「-1」を渡すとシートは現在位置から1つ前に移動します。

■ シートを先頭へ移動する方法

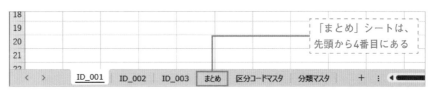

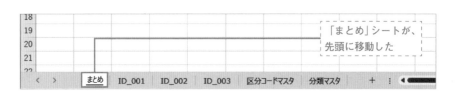

　move_sheetメソッドは、現在位置を基準としたシートの移動しかできません。そのため、「シートがどの位置にあるかはわからないが、常に先頭に移動したい」という場合は、一工夫が必要です。シートを先頭の位置に移動するには、offset引数で、「移動したいシートのインデックス（位置）」にマイナス（-）を付けて渡しましょう。シートのインデックスは、**Workbook.indexメソッド**で取得します。

```
wb.index(シート)
```

　それでは、サンプルプログラムを見てみましょう。

move_top_sheet.py

```
01  from openpyxl import load_workbook
02
03  wb = load_workbook("チェックリスト.xlsx")
04
05  for ws in wb.worksheets:
06      ws.sheet_view.tabSelected = None ───── シートの選択を解除
07                                              シートを先頭へ移動
08  ws_matome = wb["まとめ"]
09  wb.move_sheet(ws_matome, offset=-wb.index(ws_matome)) ─
10
11  wb.active = 0 ───── 先頭のシートを選択
12  wb.save("チェックリスト_変更後.xlsx")
```

　move_sheetメソッドのoffset引数に、indexメソッドで求めたシートのインデックスにマイナス（-）を付けて渡すことで、シートを先頭に移動しています。

■ シートを末尾へ移動する方法

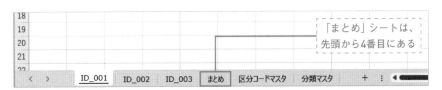

「まとめ」シートは、先頭から4番目にある

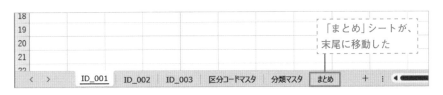

「まとめ」シートが、末尾に移動した

　シートを末尾に移動したい場合も同様で、move_sheetメソッドのoffset引数に渡す値に工夫が必要です。offset引数に、「ブックのシート数」を渡せば、移動したいシートが末尾の位置まで移動します。

　それではサンプルプログラムを見てみましょう。

move_end_sheet.py

```
01  from openpyxl import load_workbook
02
03  wb = load_workbook("チェックリスト.xlsx")
04
05  wb.move_sheet("まとめ", offset=len(wb.sheetnames))━━末尾へ移動
06
07  wb.save("チェックリスト_変更後.xlsx")
```

move_sheetメソッドのoffset引数に「ブックのシート数」を渡しています。ブックのシート数は、P.63で解説した通り、len(wb.sheetnames)で取得します。

ここもポイント │ シートの選択

シートを先頭へ移動するサンプルプログラム（move_top_sheet.py）では、tabSelected = Noneという記述があります。これは、シートの選択を解除する処理です。

openpyxlでは、シートを新規作成したり、シートを移動したりしても、もともとのブックで選択されているシート（アクティブなシート）は選択されたままになります。そのため、新規作成したシートのみを選択状態にしたい場合でも、もともと選択されていたシートまで選択され、シートが「グループ」の状態になることがあります。

ブックで選択されているシートの選択を解除する方法は、openpyxlの公式ドキュメントでは言及されていません。しかし、シートが持っているsheet_view.tabSelectedをNoneにすることで、選択を解除できるようです。

```
for ws in wb.worksheets:
    ws.sheet_view.tabSelected = None━━━シートの選択を解除
```

シートの選択をすべて解除した上で、ブックのactive属性に、選択したいシートの番号を代入します。そうすると、1シートのみ選択された状態になります。

```
wb.active = 0 ━━━先頭のシートを選択
```

シートを先頭へ移動するときは、先頭へ移動したシートのみを選択したいケースが多いと想定したため、本セクションではmove_top_sheet.pyのみこの処理を入れています。グループを解除したい場合は試してみるとよいでしょう。

014 | 自分の作業用に作成した シートを一括削除する

Excelで資料を作成する際、まずは自分の考えや調査内容をまとめた作業用のシートを作成し、その内容を元に別のシートに資料を作成していくことがよくあります。または、シートの内容を修正する前にバックアップとしてコピーし、シート名を「BK」にする利用法も見かけます。

このように、作業用や一時的な退避用に作成したシートが増えていった場合、あとでそれらのシートを削除する必要が出てきます。そんなときは、対象のシートをプログラムで削除してしまいましょう。ここでは、シート名が「作業用」で始まるシートを一括で削除するサンプルプログラムを紹介します。

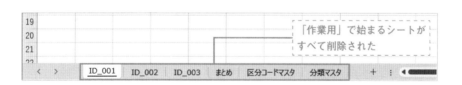

☑ シートを削除する方法

シートを削除するには、**Workbook.removeメソッド**を使用します。シートの移動とは違い、removeメソッドでは、シート名ではなく対象のシート（Worksheetオブジェクト）を渡します。

```
wb.remove(シート)
```

作業用に作成したシートを一括削除する

それではサンプルプログラムを見てみましょう。

remove_sheet.py

```
01  from openpyxl import load_workbook
02
03  wb = load_workbook("チェックリスト.xlsx")
04
05  for ws in wb.worksheets:
06      if ws.title.startswith("作業用_"):      シート名が「作業用」で始まるとき
07          wb.remove(ws)                        シートを削除
08
09  wb.save("チェックリスト_変更後.xlsx")
```

　「作業用」で始まるシートを削除するため、**str.startswithメソッド**を使用しています。startswithメソッドは、指定された文字列で始まるかどうかを判定し、当てはまる場合はTrueを返します。

```
str.startswith(指定の文字列)
```

文字列を判定する便利なメソッド

　Pythonにはほかにも、文字列の判定ができるメソッドが多数用意されています。たとえば、シート名に作業用という文字列を含むシートのみ取得したい場合は、**in演算子**を使って「"作業用" in シート名」のように記述します。

　in演算子は、ある文字列を含むかどうかを返します。ある文字列を含まないかどうかを判定したい場合は、**not in**を使います。このように、文字列の判定ができるメソッドを以下にまとめます。

メソッド	説明
str.endswith()	末尾が指定している文字列で終わっているかどうかを返す
str.find()	指定の文字列の位置を返す
str.isnumeric()	すべてが数値かどうかを返す

015 当日分の議事録シートを自動で作成する

会議の議事録をExcelで記述している場合、定期的に行われる会議のたびに、Excelで議事録用のテンプレートを手作業でコピーすることがありませんか？ 1つ1つは大した手間ではないですが、これが毎週、毎日となると地味に面倒な作業です。ここでは、議事録用のテンプレート（シート名がtemplate）を、自動でコピーするサンプルプログラムを紹介します。コピーして作成したシートの名前は、当日の日付（たとえば、2024-04-24）とします。

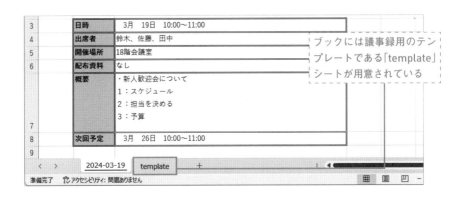

ブックには議事録用のテンプレートである「template」シートが用意されている

```
> python copy_sheet.py
```
プログラムを実行

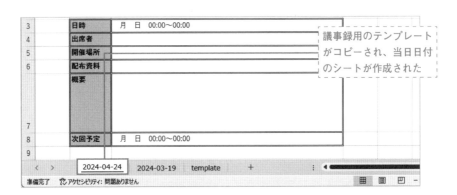

議事録用のテンプレートがコピーされ、当日日付のシートが作成された

☑ シートをコピーする方法

シートをコピーするには、**Workbook.copy_worksheet**メソッドを使用します。これもシートの移動とは違い、シート名ではなく対象のシート（Worksheetオブジェクト）を渡します。なお、**このメソッドは、ブックをまたいだシートのコピーはできないので注意しましょう。**

```
wb.copy_worksheet(シート)
```

☑ 当日分の議事録シートを自動で作成する

それではサンプルプログラムを見てみましょう。

copy_sheet.py

```
01  from datetime import date
02
03  from openpyxl import load_workbook
04
05  wb = load_workbook("議事録.xlsx")
06  for ws in wb.worksheets:
07      ws.sheet_view.tabSelected = None
08
09  ws_template = wb["template"]─────────────「template」シートを取得
10  ws_copy = wb.copy_worksheet(ws_template)──シートをコピー
11
12  today = date.today()────────────────当日日付を取得
13  ws_copy.title = f"{today:%Y-%m-%d}"──────シート名を当日日付にする
14
15  wb.move_sheet(ws_copy, offset=-wb.index(ws_copy))─シートを先頭へ移動
16
17  wb.active = 0────────────────────先頭のシートを選択
18  wb.save("議事録_変更後.xlsx")
```

copy_worksheetメソッドを用いて、「template」シートをコピーしています。このシートの名前に使う当日日付は、Pythonの標準ライブラリである**datetime**の**date.todayメソッド**で取得しています。

copy_worksheetメソッドでコピーした場合は、シートは常にブックの末尾に作成されます。そのため、本サンプルプログラムでは、コピーで作成されたシートが常に先頭に来るように、move_sheetメソッド（P.65参照）を使用しています。

シートの操作

016 | 顧客に送付する際に ブックやシートを保護する

　上司に資料を提出する際や、顧客に請求書や見積書などを送る際、シートの追加や削除をできないようにしたり、セルを入力不可にしたりしたいケースがあります。また、提出するだけではなく、送った相手に該当セルのみ入力して送り返してもらいたい場合は、特定のセルのみ入力可能にしたい場合もあるでしょう。このようなときに使うExcelの「保護」機能は、openpyxlでも扱うことが可能です。相手とやりとりするたびに保護を解除してまた保護して……のように同じ動作を繰り返す場合は、プログラムで設定するとよいでしょう。ここでは、ブックの保護と、シートを保護するサンプルプログラムを紹介します。

■ ブックを保護する方法

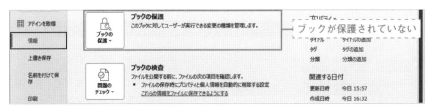

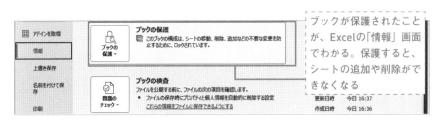

　ブックを保護するには、ブックの保護を表す**WorkbookProtectionオブジェクト**を**Workbook.security属性**に代入します。WorkbookProtectionオブジェクトのworkbookPassword引数には、ブックの保護を解除するためのパスワードを入れます。

```
wb.security = WorkbookProtection(
    workbookPassword=パスワード, lockStructure=True)
```

それではサンプルプログラムを見てみましょう。

protect_book.py

```
01  from openpyxl import load_workbook
02  from openpyxl.workbook.protection import WorkbookProtection
03
04  wb = load_workbook("見積書.xlsx")
05
06  wb.security = WorkbookProtection(workbookPassword="test",
    lockStructure=True) ——— ブックを保護
07
08  wb.save("見積書1_変更後.xlsx")
```

WorkbookProtectionオブジェクトを用いてブックを保護しています。

■ セルを保護する方法

```
> python protect_sheet.py ——— プログラムを実行
```

プログラムを実行すると、セル B11〜H24のみ入力可能、ほかのセルは入力不可になる

　今度は、シートを保護する方法を紹介しましょう。シートを保護するには、**Protection.enableメソッド**を呼び出します。パスワードを設定しないと、シートの保護が不用意に解除される恐れがあります。そのため、**Protection.password属性**でパスワードも設定しましょう。

```
ws.protection.password = 任意のパスワード
ws.protection.enable()
```

　シートの保護を行うと、特に指定しない場合はシートのすべてのセルが入力不可となります。入力不可のセルに対して、Excel上で入力しようとするとエラーメッセージが表示されます。シートを保護した状態でも任意のセルを入力可能にするには、セルの**protection属性**に、セルの保護を表す**Protectionオブジェクト**を代入します。

```
cell.protection = Protection(locked=False)
```

　それではサンプルプログラムを見てみましょう。

protect_sheet.py

```
01  from openpyxl import load_workbook
02  from openpyxl.styles import Protection
03
04  wb = load_workbook("見積書.xlsx")
05  ws = wb["見積書"]
06
07  for rows in ws["B11:H24"]:              ── セルB11〜H24に対して処理を繰り返す
08      for cell in rows:
09          cell.protection = Protection(locked=False)  ── セルを入力可能にする
10
11  ws.protection.password = "test"        ── シートの保護を解除する際のパスワードを設定
12  ws.protection.enable()                 ── シートを保護する
13
14  wb.save("見積書2_変更後.xlsx")
```

　セルのprotection属性にProtectionオブジェクトを代入して、シートを保護しても入力可能にするセルを設定しています。この処理を、取得したセルB11〜H24に対して繰り返し行います。セルB11〜H24を取得するために、1つ目のfor文はws["B11:H24"]という形で記述しています。こうすることで、データ（B列〜H列のセル）を11行目、12行目……のように行単位で取得できます。2つ目のfor文では、その行単位のデータからセルを1つずつ取り出

しています。

複数のセルを取得する

　入力可能にするセルを設定する際、セルB11～H24を取得して、protection
属性を設定しました。このように、多数のセルに対して何か処理を行いたい
ケースは、Excelの操作ではよくあります。ここで、複数のセルを取得する
際の代表的な書式をまとめましょう。また、以下のどの書き方であっても、
取得されるのはデータが入っている最大の行・列までのセルです。

書式	説明
ws[列名]	指定した列のセルを取得する。たとえば、ws["A"]の場合、A列の セルを取得する
ws[列名:列名]	指定した列範囲のセルを取得する。たとえば、ws["A:C"]の場合、 A列～C列のセルを取得する
ws[行番号]	指定した行のセルを取得する。たとえば、ws["1"]の場合、1行目 のセルを取得する
ws[行番号:行番号]	指定した行範囲のセルを取得する。たとえば、ws["1:3"]の場合、 1行～3行のセルを取得する
ws[セル番地:セル 番地]	指定したセル番地の範囲でセルを取得する。 たとえば、ws["A1:C5"]の場合、A1～C5のセルを取得する

017 | 別ブックへの転記を自動化する

今回は、複数のブックを順に読み込み、各ブックのセルB4の「会社名」、セルH10の「請求金額」を1つの「台帳.xlsx」に転記するサンプルプログラムです。本サンプルプログラムは、セル番地を指定して値を設定するのではなく、繰り返し処理をよりしやすい方法で記述しています。

請求書_商社.xlsx

各ブックのセルB4には会社名、セルH10には請求金額が設定されている

	A	B	C	D	E	F	G
1							
2				請求書			
3							
4				○○商社			御中
5							
6		案件名	経理システム動作検証				
7							
8		請求者	ＩＴ開発株式会社				
9							
10						ご請求金額合計	1,015,000
11							

請求書_通信社.xlsx

	A	B	C	D	E	F	G	H
1								
2				請求書				
3								
4				○○通信社			御中	
5								
6		案件名	顧客管理システム開発					
7								
8		請求者	ＩＴ開発株式会社					
9								
10							ご請求金額合計	1,135,000
11								

```
> python read_cell.py ——— プログラムを実行
```

台帳.xlsx

各ブックのセルB4とH10に入力
されている値がまとめられた

☑ 行番号と列番号でセルに値を設定する方法

openpyxlでは、セル番地ではなく、行番号と列番号を指定してセルに値を設定することもできます。それは、**cell.value属性**を使う方法です。value属性で指定する行番号と列番号は、1始まりです。

```
cell(行番号, 列番号).value = 設定したい値
```

今までのようにセル番地を指定したws["A1"]という書式のほうが、直感的でわかりやすいです。しかし、行番号と列番号を指定するこの書式は、繰り返し処理の中で行や列をずらしていきたいときに、使いやすいというメリットがあります。

☑ 別ブックへの転記を行う

それではサンプルプログラムを見てみましょう。

read_cell.py

```
01  from pathlib import Path
02
03  from openpyxl import Workbook, load_workbook
04
05  wb_new = Workbook()
06  ws_new = wb_new.active
07  ws_new.title = "台帳"
08  ws_new.column_dimensions["A"].width = 20
09
10  path = Path("./books")
11  for i, file in enumerate(path.glob("*.xlsx")):
12      wb = load_workbook(file, data_only=True)
13      ws = wb["請求書"]
14
15      row_no = i + 1        行は1始まりなので加算する
```

```
16      ws_new.cell(row_no, 1).value = ws["B4"].value ──── セルB4を転記
17      ws_new.cell(row_no, 2).value = ws["H10"].value ──── セルH10を転記
18      ws_new.cell(row_no, 2).number_format = ws["H10"].number_
   format ──── セルH10の表示形式をコピー
19
20 wb_new.save("台帳.xlsx")
```

　ここで、今回読み込むセルH10には、「=SUM(H13:H26)」という数式が設定されています。数式が含まれているブックをload_workbook関数で読み込むとき、デフォルトでは、数式「=SUM(H13:H26)」がそのまま文字列として読み込まれます。しかし、今回は数式の計算結果の値（セルH13からH26の合計値）を読み込みたいため、load_workbook関数でdata_only=Trueを指定します。

```
load_workbook(ファイル, data_only=True)
```

　data_only=Trueとすると、数式（ここではSUM関数）で計算された値が読み込まれます。Excel VBAでは数式が設定されていても、セルのValueプロパティを使えば数式の計算結果を取得できますが、openpyxlではこのような属性はありません。Excel VBAとはかなり異なる点ですので、注意しましょう。

　また、セルH10は、3桁のカンマ区切りという表示形式が設定されています。セルの表示形式は、セルのnumber_format属性で取得できます。

```
cell.number_format
```

　このセルの書式設定も引き継ぎたいため、number_format属性で表示形式のコピーを行っています。

ここもポイント | **data_only=Trueで読み込んだブックの注意点**

load_workbook関数でdata_only=Trueを指定して読み込んだブックは、数式の計算結果が読み込まれる、と説明しました。このブックをWorkbook.saveメソッドで保存した場合、数式の計算結果だけが書き込まれます。つまり、もともと入っていた数式はなくなってしまいます。
たいていの場合、数式が消えていいことはないので、data_only=Trueで読み込んだブックを上書き保存するのは避けましょう。あくまで、今回のような「別のブックへ値を転記するケース」で使用しましょう。

018 行・列の非表示を一括で解除する

　Excelで表を作るとき、作業をしやすくするために一時的に行や列を非表示にすることがあります。その後、非表示を表示に戻してから、上司に提出するといったことがあります。何度もこのような操作を行う場合は、プログラムで行うのもよいでしょう。ここでは、行・列の非表示を解除するサンプルプログラムを紹介します。

D列と10〜15行が
非表示である

```
> python column_hidden.py ──── プログラムを実行
```

非表示になっていたD列
と10〜15行が表示された

行・列の非表示を解除する方法

openpyxlではWorksheet.row_dimensions、Worksheet.column_dimensions という属性がシートにあり、それぞれ行に関する情報、列に関する情報を持っています。行の非表示を解除するには、このWorksheet.row_dimensions のhidden属性をFalseにします。

```
ws.row_dimensions[行番号].hidden = False
```

逆に、行を非表示にしたい場合はTrueにします。

列の非表示を解除するときは、Worksheet.column_dimensionsのhidden属性をFalseにします。

```
ws.column_dimensions[列名].hidden = False
```

逆に、列を非表示にしたい場合はTrueにします。

行・列の非表示を一括で解除する

それではサンプルプログラムを見てみましょう。

column_hidden.py

```
01  from openpyxl import load_workbook
02
03  wb = load_workbook("売上実績.xlsx")
04  ws = wb.active
05
06  for row_no in range(2, ws.max_row + 1):
07      ws.row_dimensions[row_no].hidden = False        行の非表示を解除
08
09  for col_no in range(2, ws.max_column + 1):          セルの列名を取得
10      col_alphabet = ws.cell(row=1, column=col_no).column_letter
11      ws.column_dimensions[col_alphabet].hidden = False
12                                                       列の非表示を解除
13  wb.save("売上実績_変更後.xlsx")
```

まずは、データが入っている最大の行まで、行の非表示を解除する処理を繰り返します。Excelでデータが入っている最大の行は**Worksheet.max_row属性**で取得します。

```
ws.max_row
```

　次に、列の非表示を解除します。行の場合と同様の処理ですが、ここで1点ポイントがあります。

　本サンプルプログラムでは、非表示を解除する列のCellオブジェクトを取得し、**Cell.column_letter属性**を呼び出しています。column_letter属性によって、そのセルの列名（アルファベット）を取得できます。

```
cell.column_letter
```

　column_dimensionsのhidden属性に指定する列名は、A、B、C……というアルファベットを指定する必要があるためです。Pythonのrange関数は連続したアルファベット（A〜Z）を生成できますが、Excelの列番号のようにZ以降がAA、AB……と続くものは簡単には作成できません。そのためcolumn_letter属性を使用しています。そこまでよくは使いませんが、覚えておくと便利な機能です。

データが入っている最大・最小の位置を取得する

　本サンプルプログラムで、データが入っている最大の行を取得するのにWorksheet.max_row属性を使用しました。このように、プログラムからExcelを操作するとき、そのブックにデータがどこまで入っているかを取得し、その行数までは繰り返し処理を行いたい、というケースはよくあります。常に全行に対して処理を行うと重くなるのと、データが入っていない行に対して処理する必要はない場合が多いためです。

　そこで、Excelでデータが入っている最大・最小の位置を取得する属性を以下にまとめます。openpyxlを使ったプログラムではよく使うので、覚えておきましょう。

属性	説明
ws.max_row	データが入っている最大の行
ws.min_row	データが入っている最小の行
ws.min_column	データが入っている最小の列
ws.max_column	データが入っている最大の列

019 3行おきに空白行を挿入する

Excelで表を作るとき、行や列の挿入をよく行います。すでに大量のデータを貼り付けたあと、またはすでに複数ファイル作ったあとに、決まった間隔で行を挿入したいという場合は、プログラムで行うと簡単です。ここでは、決まった間隔を3行とし、表に3行おきに空白行を挿入するサンプルプログラムを紹介します。

3行目以降にデータが入力されている

	A	B	C	D	E	F	G	H	I	J	K	L
1												
2												
3		年月	品目A	品目B	品目C	品目D	品目E	品目F	品目G	品目H	品目I	品目J	品目K
4		2023年4月	172	161	165	161	165	165	161	165	165	165	165
5		2023年5月	180	163	171	163	171	171	163	171	171	180	171
6		2023年6月	170	181	171	181	171	171	181	171	171	180	171
7		2023年7月	182	164	170	164	170	170	164	170	170	170	170
8		2023年8月	165	177	182	177	182	182	177	182	182	182	182
9		2023年9月	172	161	165	161	165	165	161	165	165	165	165
10		2023年10月	155	159	172	159	172	172	159	172	172	172	172
11		2023年11月	167	157	155	157	155	155	157	155	155	155	155
12		2023年12月	171	184	167	184	167	167	184	167	167	167	167
13		2024年1月	167	165	165	164	165	165	165	165	165	171	165
14		2024年2月	171	172	172	177	172	172	172	172	172	167	172

```
> python insert_row.py ───── プログラムを実行
```

3行おきに空白行が挿入された

	A	B	C	D	E	F	G	H	I	J		K	L	M	N	O
1																
2																
3		年月	品目A	品目B	品目C	品目D	品目E	品目F	品目G	品目H	品目I	品目J	品目K
4		2023年4月	172	161	165	161	165	165	161	165	165	165	165
5		2023年5月	180	163	171	163	171	171	163	171	171	180	171
6		2023年6月	170	181	171	181	171	171	181	171	171	180	171
7													
8		2023年7月	182	164	170	164	170	170	164	170	170	170	170
9		2023年8月	165	177	182	177	182	182	177	182	182	182	182
10		2023年9月	172	161	165	161	165	165	161	165	165	165	165
11													
12		2023年10月	155	159	172	159	172	172	159	172	172	172	172
13		2023年11月	167	157	155	157	155	155	157	155	155	155	155
14		2023年12月	171	184	167	184	167	167	184	167	167	167	167
15													
16		2024年1月	167	165	165	164	165	165	165	165	165	171	165

◢ 行・列を挿入する方法

ブックに行を挿入するには、**Worksheet.insert_rowsメソッド**を利用します。

```
ws.insert_rows(行を挿入する位置)
```

行・列の挿入だけではなく、削除するメソッドも用意されています。行・列を操作できるメソッドをここでまとめます。

メソッド	説明
ws.insert_rows()	行を挿入
ws.insert_cols()	列を挿入
ws.delete_rows()	行を削除
ws.delete_cols()	列を削除

◢ 3行おきに空白行を挿入する

それではサンプルプログラムを見てみましょう。

insert_row.py

```
01  from openpyxl import load_workbook
02
03  wb = load_workbook("品目別売上.xlsx")
04  ws = wb.active
05  num = 3
06  start_row = 3
07  for row_no in range(ws.max_row - num + 1, num + start_row,
    -num):
08      ws.insert_rows(row_no)————行を挿入
09
10  wb.save("品目別売上_変更後.xlsx")
```

3行おきに空白行を挿入する処理を、for文で繰り返しています。表の先頭から順番に行を挿入すると、すでに挿入した行数を考慮して次に挿入する位置を指定する必要があるので、プログラムが複雑になります。そのため、ここでは表の最終行から順番に行を挿入しています。このとき、表の最終行を取得する必要がありますが、最終行（Excelでデータが入っている最大行）はWorksheet.max_row属性で取得しています。

セルのメモから指摘一覧を作成する

Excelで作成した資料を上司が確認する際、指摘をセルのメモ（旧コメント機能）に入れることがあります。その場合、そのメモを一覧で残しておきたいケースもあるでしょう。

そのようなシーンを想定し、セルのメモから指摘一覧を作成するサンプルプログラムを紹介します。また、業務では、Excelで作成した表の列名に「この列が何を表すか」を、メモで入れておくことが多いでしょう。本サンプルプログラムでも、作成された指摘一覧の「セル番地」列にメモを挿入するとします。

☑ セルのメモを取得する方法

セルにメモがあるかどうかを判定するには、セルの**comment属性**がNone
でないことを確認します。

```
cell.comment
```

メモがない場合は、そのセルのcomment属性がNoneとなります。Noneで
あるにもかかわらず、メモのテキストや作成者を取得しようとするとエラー
が発生するので、注意しましょう。

メモのテキストは、**comment.text属性**で取得します。

```
cell.comment.text
```

メモの作成者は、**comment.author属性**で取得します。

```
cell.comment.author
```

メモは挿入することもできます。メモのテキストと作成者を指定して
Commentオブジェクトを作成し、comment属性に代入します。

```
cell.comment = Comment(メモのテキスト, メモの作成者)
```


☑ セルのメモから指摘一覧を作成する

それではサンプルプログラムを見てみましょう。

read_comment.py

```
01  from openpyxl import Workbook, load_workbook
02  from openpyxl.comments import Comment
03
04  wb_new = Workbook()
05  ws_new = wb_new.active
06  ws_new.title = "指摘一覧"
07
08  wb = load_workbook("スケジュール表.xlsx")
09  ws = wb.active
10
11  ws_new["B2"] = "指摘内容"
12  ws_new["C2"] = "指摘者"
13  ws_new["D2"] = "セル番地"
```

```
14  ws_new.column_dimensions["B"].width = 40
15  row_count = ws_new.max_row
16
17  for row in ws.iter_rows(min_row=4):
18      for cell in row:
19          if cell.comment is None:      メモがあるかを判定
20              continue
21          row_count = row_count + 1            メモのテキ  メモの作成
22          ws_new[f"B{row_count}"] = cell.comment.text    ストを取得  者を取得
23          ws_new[f"C{row_count}"] = cell.comment.author
24          ws_new[f"D{row_count}"] = cell.coordinate
25                                         メモのあったセル番地を取得
26  ws_new["D2"].comment = Comment("指摘があったセルの番号", "佐藤幸子") `
27  wb_new.save("指摘一覧.xlsx")
```

　既存のブックを読み込んでメモがあるセルを探します。メモがある場合はメモのテキスト、作成者を取得して、新規ブックに設定します。その際、メモがどのセルに挿入されていたのかも一覧にできると便利なため、セルの**coordinate属性**でセルの番地を取得しています。

```
cell.coordinate
```

指定した行・列の範囲のデータを順に取得する

　セルのメモを取得する処理は、繰り返し行います。セルを「指定した行と列の範囲」で順に取得するには、**Worksheet.iter_rowsメソッド**を用います。

```
ws.iter_rows(min_row=最小の行番号, max_row=最大の行番号,
            min_col=最小の列番号, max_col=最大の列番号)
```

　本サンプルプログラムでは、4行目～データが入っている最大の行についてセルを順に取得するため、「ws.iter_rows(min_row=4)」と記述しています。このとき、max_row引数などを省略すると、データが入っている最大の位置までが取得されます。列単位で順に取得したい場合は、**Worksheet.iter_colsメソッド**を用います。

```
ws.iter_cols(min_col=最小の列番号, max_col=最大の列番号,
            min_row=最小の行番号, max_row=最大の行番号)
```

　とてもよく使うメソッドなので、覚えておきましょう。

021 名前を付けたセルを読み込む

Excelには、セルに名前を付けられる「**名前の定義**」機能があります。定義した名前は数式などで利用可能であり、セルの位置を変えても常に同じ名前でアクセス可能なので、よくセルの参照先が変わる場合に役立つ機能です。この「名前」はopenpyxlから読み取ることが可能なので、その方法について解説しましょう。

チェックリスト.xlsx

「部署名」セルの参照先はC2

「部署名」という名前がブックに定義された状態。セルの参照先はC2

1つのセルが参照された状態とする

```
> python read_definedname.py ──────── プログラムを実行
```

部署名.xlsx

「部署名」という名前が参照しているセルの内容が別ブックに転記された

名前付きのセルを読み込む方法

　ブックに定義された名前付きセルを読み込むには、**Workbook.defined_ names属性**を利用します。

```
dfn = wb.defined_names[Excelで定義したセルの名前]
```

　取得した情報から、**destinationsプロパティ**を使うと、取得した名前付きセルに設定されているセルの参照先が、(シート名, セルの参照先)ような形で取得できます。

```
dests = dfn.destinations
```

　それでは、チェックリスト.xlsxに定義されている「部署名」セルの内容を取得する、サンプルプログラムを見てみましょう。

read_definedname.py

```
01  from openpyxl import Workbook, load_workbook
02
03  wb_new = Workbook()
04  ws_new = wb_new.active
05
06  wb = load_workbook("チェックリスト.xlsx")
07
08  busyo = wb.defined_names["部署名"]
09  dests = busyo.destinations
10
11  sheet, cellno = list(dests)[0]        destsをリストにして添え字0の
12  ws = wb[sheet]                        要素を取り出す
13  ws_new["A2"] = ws[cellno].value
14
15  wb_new.save("部署名.xlsx")
```

　読み込んだ「チェックリスト.xlsx」の「部署名」セルの内容を、defined_ names属性とdestinationsプロパティを使って取得しています。destinations プロパティからセルの参照先を取り出すには、list関数（P.282参照）でdests をリストにします。そして、リストの添え字0の要素を指定すると、("Sheet1","$C$2")というタプルが取得できます。Pythonでは、変数の数とタプルの要素数が同じ場合、タプルの各要素が各変数に代入されます。そのため、「sheet, cellno = list(dests)[0]」とすることで、sheet変数には"Sheet1",cellno 変数には"$C$2"が代入されます。また、sheet変数に代入されたシート名は文

字列型なので、「ws = wb[sheet]」とすることで、シートオブジェクトを取得しています。

　名前付きセルを利用することで、セルの参照先は変わっても、プログラムではなく、ブックのみ修正すればよくなります。セルの参照先がよく変わる場合は利用を検討してみてもよいでしょう。

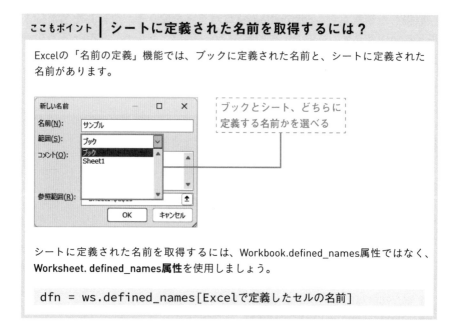

022 | 数式をセルに設定する

　Excelの数式（関数）を含むブックを読み込む方法はP.79ですでに紹介しました。今度は、数式をセルに設定する方法を見ていきましょう。

◢ 数式をセルに設定する方法

セルD2は空白である

	A	B	C	D	E	F	G	H	I	J
1										
2			作業時間合計							
3	項番	名前	職位	作業時間						
4	1	新井太郎	課長	180						
5	2	鈴木一	主任	170						
6	3	田中さちえ	主任	182						
7	4	谷口誠	一般	165						
8	5	川上恵	一般	172						
9	6	斉藤厚	一般	155						
10	7	水野翔太	一般	167						
11	8	森下弘樹	一般	171						
12	7	水野翔太	一般	167						
13	8	森下弘樹	一般	171						

```
> python sum_formula.py
```
プログラムを実行

D2　fx　=SUM(D4:D13)

セルD2に、セルD4からD13を合計するSUM関数が設定された

	A	B	C	D	E	F
1						
2			作業時間合計	1700		
3	項番	名前	職位	作業時間		
4	1	新井太郎	課長	180		
5	2	鈴木一	主任	170		
6	3	田中さちえ	主任	182		
7	4	谷口誠	一般	165		
8	5	川上恵	一般	172		
9	6	斉藤厚	一般	155		
10	7	水野翔太	一般	167		
11	8	森下弘樹	一般	171		
12	7	水野翔太	一般	167		
13	8	森下弘樹	一般	171		

openpyxlで数式をセルに設定するには、文字列を代入するだけです。

`ws[セル番地] = 設定する数式(文字列)`

それではサンプルプログラムを見てみましょう。

sum_formula.py

```
01  from openpyxl import load_workbook
02
03  wb = load_workbook("作業時間.xlsx")
04  ws = wb.active
05
06  ws["D2"] = "=SUM(D4:D13)"        数式をセルに設定
07
08  wb.save("作業時間_変更後.xlsx")
```

このサンプルプログラムでは、セルD2に、セルD4からD13を合計する
SUM関数を設定しています。

数式を設定する際、1点注意してほしいことがあります。 それは、
openpyxlで入れた数式は、そのブックをExcelで開いて保存しない限り、数
式の計算結果をプログラムから取得できないことです。openpyxlは、数式の
計算は行いません。あくまで、数式の計算を行うのはExcelなのです。

☑ セルに設定する数式を行に合わせて変更する方法

先ほどは、ある決まった数式を設定する例を紹介しました。しかし、実際に数式を設定する場合、行や列によって設定する数式を変更したいことが多いでしょう。そんなときは、P.51で紹介したf-stringsを使うと実現できます。

サンプルプログラムを見てみましょう。

vlookup_formula.py

```
01  from openpyxl import load_workbook
02
03  wb = load_workbook("作業時間表.xlsx")
04
05  lastmonth = "202404"
06  month = "202405"
07
08  ws_lastmonth = wb[lastmonth]
09  ws = wb[month]
10
11  for row in ws.iter_rows(min_row=2, max_row=ws.max_row):
12      row_count = row[0].row
13      row[4].value = f"=VLOOKUP(B{row_count},{lastmonth}!$B$2:$D$11,3,FALSE)"       セルにVLOOKUP関数を設定
14
15  wb.save("作業時間表_変更後.xlsx")
```

本サンプルプログラムは、作業時間表.xlsxで前月のシートをコピーし、前月の作業時間を参照するようにVLOOKUP関数を入れます。ポイントは、

f-stringsを使うことで、行に合わせてVLOOKUP関数を作成している点です。

```
row[4].value = f"=VLOOKUP(B{row_count},{lastmonth}!$B$2:$
D$11,3,FALSE)"
```

B列に設定されている名前が前月（202404）シートのセルB2〜D11に該当する場合、D列（作業時間）の値を取得するVLOOKUP関数です。このように、f-stringsを使って変数を入れ込むことで、行に合わせた数式を設定できます。また、設定する数式に絶対参照を使いたい場合は、Excelで入れるのと同じように、「$」を入れればOKです。

数式を相対参照で横方向にコピーする方法

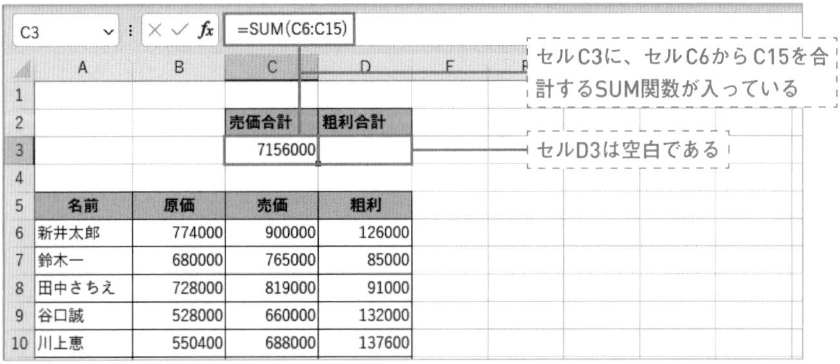

	A	B	C	D
1				
2			売価合計	粗利合計
3			7156000	
4				
5	名前	原価	売価	粗利
6	新井太郎	774000	900000	126000
7	鈴木一	680000	765000	85000
8	田中さちえ	728000	819000	91000
9	谷口誠	528000	660000	132000
10	川上恵	550400	688000	137600

```
> python translater_column_formula.py
```

プログラムを実行

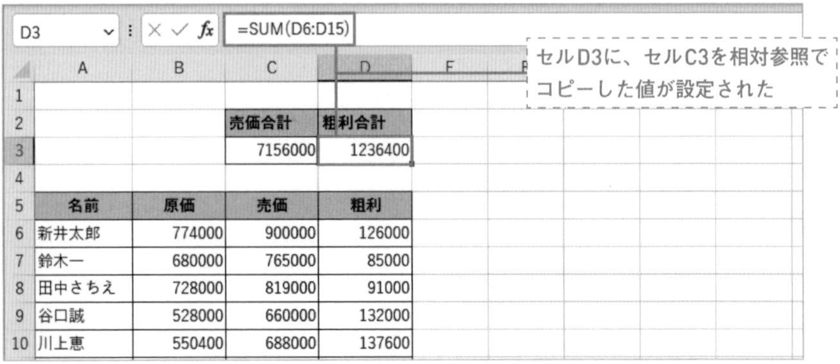

	A	B	C	D
1				
2			売価合計	粗利合計
3			7156000	1236400
4				
5	名前	原価	売価	粗利
6	新井太郎	774000	900000	126000
7	鈴木一	680000	765000	85000
8	田中さちえ	728000	819000	91000
9	谷口誠	528000	660000	132000
10	川上恵	550400	688000	137600

行や列によって設定する数式をf-stringsでずらす方法を紹介しましたが、openpyxlには、既存の数式を元に相対参照でコピーする機能も用意されています。Excelの画面上で、ある数式をドラッグしてコピーするイメージです。Excelでよく行う操作ですね。

　数式を相対参照でコピーするには、**Translatorオブジェクト**を使います。

```
cell = Translator(コピーする数式,
      origin=相対参照の基点とするセル番地).translate_formula(コピー
する方向のセル番地)
```

　Translatorオブジェクトを用いると、プログラムから新規で数式を設定するときだけではなく、既存のブックにすでに入っている数式を、列をずらしてコピーすることが可能です。

　それではサンプルプログラムを見てみましょう。

translater_column_formula.py

```
01  from openpyxl import load_workbook
02  from openpyxl.formula.translate import Translator
03
04  wb = load_workbook("合計.xlsx")
05  ws = wb.active
06
07  ws["D3"] = Translator(ws["C3"].value, origin="C3").translate_
    formula("D3")
08
09  wb.save("合計_変更後.xlsx")
```

　このサンプルプログラムは、セルC3の数式「=SUM(C6:C15)」の列を1列（D列）ずらした式「=SUM(D6:D15)」をセルD3に設定します。つまり、Excelの画面上だと、横にドラッグしてコピーした場合の数式を求めます。

数式を相対参照で縦方向にコピーする方法

	A	B	C	D	E	F	G	H	I
1									
2			売価合計	粗利合計					
3			7156000						
4									
5	名前	原価	売価	粗利					
6	新井太郎	774000	900000						
7	鈴木一	680000	765000						
8	田中さちえ	728000	819000						
9	谷口誠	528000	660000						
10	川上恵	550400	688000						
11	斉藤厚	496000	620000						

D6 セル

D列（セルD6～）は空白である

```
> python translater_row_formula.py     プログラムを実行
```

D6   =C6-B6

D列（セルD6～）に、数式（=C列-B列）が設定された

	A	B	C	D	E	F
1						
2			売価合計	粗利合計		
3			7156000			
4						
5	名前	原価	売価	粗利		
6	新井太郎	774000	900000	126000		
7	鈴木一	680000	765000	85000		
8	田中さちえ	728000	819000	91000		
9	谷口誠	528000	660000	132000		
10	川上恵	550400	688000	137600		
11	斉藤厚	496000	620000	124000		

　今度は縦方向へ相対参照でコピーしてみましょう。縦方向へのコピーも、横方向へのコピーと同じようにTranslatorオブジェクトを使用します。そして、translate_formulaメソッドに指定するセル番地を、縦方向のセルにするだけです。

　それではサンプルプログラムを見てみましょう。

translater_row_formula.py

```
01  from openpyxl import load_workbook
02  from openpyxl.formula.translate import Translator
```

```
03
04   wb = load_workbook("粗利.xlsx")
05   ws = wb.active
06
07   origin_cell_no = "D6"
08   ws[origin_cell_no] = "=C6-B6" ——— コピーの元となる数式をセルD6に設定
09
10   for row_no in range(7, ws.max_row + 1):      7行目から15行目まで
11       cell_no = f"D{row_no}"                    処理を繰り返す
12
13       ws[cell_no] = Translator(
14           ws[origin_cell_no].value, origin=origin_cell_no
15       ).translate_formula(cell_no)
16
17   wb.save("粗利_変更後.xlsx")
```

　元となる数式「=C6-B6」を縦方向へドラッグして「=C7-B7」、「=C8-B8」……という数式を設定するのを、プログラムで実現しています。

　Translatorオブジェクトを使わなくてもf-stringsを駆使すれば実現は可能です。しかし、Translatorを使うと、プログラムの見た目上、セルを相対参照でコピーしていることがわかりやすくなります。

☑ 配列数式をセルに設定する方法

```
> python array_formula.py ——— プログラムを実行
```

	A	B	C	D	E	F	G	H	I	J
1										
2										
3			売上	371000						
4										
5										
6		品名	単価	個数						
7		ボールペン	130	100						
8		フセン（大）	250	200						
9		フセン（小）	220	300						
10		鉛筆	100	400						
11		ノート	200	500						
12		シール	170	600						
13										

D3 ✕ ✓ fx {=SUM(C7:C12*D7:D12)}

セルD3に、C列とD列を掛け算した値を合計するSUM関数が設定された

　Excelの「**配列数式**」とは、配列を使って数式を作成できる機能です。たとえば、総売上を求める際、通常は商品ごとの売上を求めてからそれを合計します。配列数式を使うと、商品ごとの売上を計算し、その値から総売上を求める式を1つの数式で記述することが可能です。

　Excelで配列数式を設定するには、式を入力して、Ctrl + Shift + Enter キーを押す必要があります。openpyxlでも、P.92のようにただ数式を入力しても配列数式として扱われないので、配列数式を設定するには、**ArrayFormula オブジェクト**を使います。

```
cell = ArrayFormula(設定するセル範囲, 設定したい数式)
```

　それでは、サンプルプログラムを見てみましょう

array_formula.py

```
01  from openpyxl import load_workbook
02  from openpyxl.worksheet.formula import ArrayFormula
03
04  wb = load_workbook("売上.xlsx")
05  ws = wb.active
06  ws["D3"] = ArrayFormula("D3", "=SUM(C7:C12*D7:D12)")
07  wb.save("売上_変更後.xlsx")
```

　このサンプルプログラムは、セルD3に「{=SUM(C7:C12*D7:D12)}」という配列数式を設定します。これは、C7×D7、C8×D8……C12×D12の計算結果をSUM関数によって合計する配列数式になります。そのため、セルD3には、商品の総売上が表示されます。

式の例：=SUM(C7:C12*D7:D12)

C列		D列	
130	×	100	= 13000
250	×	200	= 50000
220	×	300	= 66000
100	×	400	= 40000
200	×	500	= 100000
170	×	600	= 102000

行ごとの掛け算の結果を
SUMで合計する

ここもポイント **数式と計算結果、どちらを設定するべき？**

本セクションではopenpyxlでの数式の扱いについて解説しました。しかし数式ではなく、プログラムの中で計算した値を、Excelに書き込むこともできます。たとえば、セルA1とセルA2を合計した値を求めたい場合、以下の2通りがあります。

- 「=A1+A2」を設定する
- 「プログラム内でA1とA2を合計した結果」を設定する

セルに数式を設定するか、プログラムで計算した値を設定するか、一体どちらがよいのでしょうか？
どちらの方法がよいかは、そのブックを使う目的によって変わってきます。あとで手作業で修正する予定のブックであれば、数式を設定したほうが、常に最新の結果が得られて便利です。あくまでPythonで行ったデータ分析の結果をExcelに書き込んでいるだけで、手作業で修正することが少ない場合は、計算した値を設定すれば問題ないでしょう。
このように、対象のExcelファイルの用途によって、どちらが適切なのかを検討することをおすすめします。

○23 変わる可能性がある箇所をパラメーターにする

　ここまで、PythonからExcelを操作する際の基礎知識を紹介しました。ここからは、実際の運用も踏まえたテクニックを解説しましょう。

　これまでのサンプルプログラムは、基本的には読み込むブックやセルを、固定値で記載しています。しかし、実際の業務でプログラムを使う場合は、操作するブックの内容（レイアウト）があとで変わったり、プログラムを実行するときに読み込むブックやセルの名前を指定したりしたいことがあるでしょう。

　このように、後々に変わる可能性がある箇所をプログラムに直接記述すると、そのたびにプログラムを修正する必要があります。そのため、変わる可能性がある箇所をパラメーターにしておく方法を紹介します。あるブックを読み込み、そのブックのあるセルの値を表示するサンプルプログラムですが、読み込むブック名とセルはパラメーターにします。パラメーターにする方法は4通り紹介しますので、用途にあったものを選びましょう。

資料.xlsx

プログラムで読み込むブック「資料.xlsx」のセルC3には「鈴木太郎」が入力されている

☑ コマンドライン引数を使う方法

　1つ目は、コマンドラインの引数を使う方法です。コマンドラインの引数は、**sysモジュール**の**argv属性**で取得できます。

```
sys.argv
```

sysモジュールには、Pythonの実行環境に関する機能がまとめられています。

- **sysモジュール**
https://docs.python.org/ja/3/library/sys.html

それではサンプルプログラムを見てみましょう。

command_arguments.py

```
01  import sys
02
03  from openpyxl import load_workbook
04
05  filename = sys.argv[1] ──── 読み込むブック名を受け取る
06  cellno = sys.argv[2] ──── 読み込むセル名を受け取る
07
08  wb = load_workbook(filename)
09  ws = wb.active
10
11  print(ws[cellno].value) ──── ブックのセルの値を表示
```

```
> python command_arguments.py 資料.xlsx C3    ❶読み込むブック名と
                                                 セル名を入力して実行
鈴木太郎    資料.xlsxのセルC3の値が表示される
```

argv属性は、パラメーターをリストで返します。sys.argv[0]にはプログラムの名前（ここでは、command_arguments.py）が格納されます。コマンドラインで渡したパラメーターは、sys.argv[1]以降にセットされます。

input関数を使う方法

2つ目は、input関数を使う方法です。P.50でも少し紹介しましたが、input関数を使うとプログラムの実行時に対話形式でパラメーターを入力できます。

```
input(コマンドラインに表示する文言)
```

それではサンプルプログラムを見てみましょう。

input_arguments.py

```
01  from openpyxl import load_workbook
02
```

```
03  filename = input("読み込むブック名: ")  ──── 読み込むブック名を入力する
04  cellno = input("読み込むセル名(例 A1): ")  ──── 読み込むセル名を入力する
05
06  wb = load_workbook(filename)
07  ws = wb.active
08
09  print(ws[cellno].value)  ──── ブックのセルの値を表示
```

```
> python input_arguments.py  ──── ❶プログラムを実行
読み込むブック名: 資料.xlsx  ──── ❷読み込むブック名を入力
読み込むセル名(例 A1): C3  ──── ❸読み込むセル名を入力
鈴木太郎
```

　2つのパラメーターを入力できるように、input関数を2回呼び出しています。対話形式で入力できるため、わかりやすいという特徴があります。

argparseモジュールを使う方法

　3つ目は、**argparseモジュール**を使う方法です。この方法も、パラメーターはコマンドラインで入力します。しかし、より多くの機能が提供されており、使いやすいコマンドラインインターフェースを作成できます。

- **argparseモジュール**
  https://docs.python.org/ja/3/library/argparse.html

　まず、**argparse.ArgumentParserオブジェクト**を生成します。

```
parser = argparse.ArgumentParser(description=プログラムの説明)
```

　コマンドラインで入力するパラメーターを用意するには、**ArgumentParser.add_argumentメソッド**を使用します。

```
parser.add_argument(引数の名前, help=引数の説明)
```

　コマンドラインで入力したパラメーターは、**ArgumentParser.parse_argsメソッド**で取得できます。

```
parser.parse_args()
```

　それではサンプルプログラムを見てみましょう。

argparse_arguments.py

```
01  import argparse
02
03  from openpyxl import load_workbook
04
05  parser = argparse.ArgumentParser(description="Excelのセルの値を取
    得するプログラム")
06
07  parser.add_argument("filename", help="読み込むブック名:")───引数を用意
08  parser.add_argument("cellno", help="読み込むセル名(例 A1): ")──
09                                                        引数を用意
10  args = parser.parse_args()────入力した引数を取得
11
12  wb = load_workbook(args.filename)
13  ws = wb.active
14
15  print(ws[args.cellno].value)────ブックのセルの値を表示
```

```
> python argparse_arguments.py 資料.xlsx C3
鈴木太郎            読み込むブック名とセル名を入力して実行
```

argparseを使うと便利な点は、ArgumentParserオブジェクトの
description引数や、add_argumentメソッドのhelp引数に、プログラムの詳
細を記述できることです。先ほどのサンプルプログラムを、「-h」オプショ
ンを付けて実行してみましょう。

```
> python argparse_arguments.py -h────❶「-h」オプションを付けて実行
usage: argparse_arguments.py [-h] filename cellno

Excelのセルの値を取得するプログラム

positional arguments:
  filename    読み込むブック名:                プログラムの
  cellno      読み込むセル名(例 A1):          詳細が表示さ
                                              れる
optional arguments:
  -h, --help  show this help message and exit
```

このように、「-h」オプションを入力すると、プログラムの詳細が表示され
るのです。そのため、部署やチームなど複数人にプログラムを配布する場合
は、argparseを使うと、プログラムの内容が伝わりやすくなります。

✒ configparserモジュールを使う方法

4つ目は、**configparserモジュール**を使う方法です。configparserを使うと、パラメーターを設定ファイルにできます。パラメーターの数が多い場合、コマンドラインで入力するのは手間なので、設定ファイルにしておくとよいでしょう。

設定ファイルを作成する方法

まずは、設定ファイルをエディターで作成します。設定ファイルには、読み込むブック名とセル名を記述します。また、ファイルの文字コードはUTF-8とします。ここでは、VS Codeを使って作成するので、ファイルを作成する場所をVS Codeで開いておきましょう。

1 VS Codeで[新しいファイル]をクリック

2 ファイル名を入力（ここでは「sample.ini」）

3 Enter キーを押す

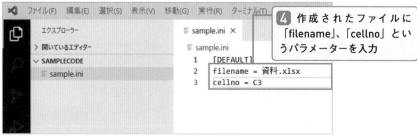

4 作成されたファイルに「filename」、「cellno」というパラメーターを入力

sample.ini

```
01  [DEFAULT]
02  filename = 資料.xlsx
03  cellno = C3
```

設定ファイルで記述した[DEFAULT]とは、セクションを表します。セク

ションとは、パラメーターの大まかな分類を表すものです。セクションには、パラメーターを「=」または「:」で区切った形式で記述します。ここでは、DEFAULTという1つのセクションしか用意していませんが、複数セクションを用意することもできます。セクションが異なれば同名のパラメーターを記述することが可能なので、パラメーターの数が多かったり条件によってパラメーターを切り替えたりしたい場合は、役割ごとにセクションを用意しておくとよいでしょう。

　設定ファイルに記述できる形式の詳細は、以下のページもあわせて参照してください。

- **設定ファイルの形式**

  https://docs.python.org/ja/3/library/configparser.html#supported-ini-file-structure

設定ファイルを読み込む方法

　次は、作成した「sample.ini」から値を読み込んで、プログラムで利用してみましょう。

　まず**configparser.ConfigParserオブジェクト**を生成します。

```
config = configparser.ConfigParser()
```

　設定ファイルを読み込むには、**ConfigParser.readメソッド**を使用します。

```
config.read(設定ファイル名, encoding=使用する文字コード)
```

　設定ファイル内の値は、以下の書式で取得できます。

```
config[セクション名][引数名]
```

　それでは、設定ファイルからパラメーターを読み込むサンプルプログラムを見てみましょう。

config_arguments.py

```
01  import configparser
02
03  from openpyxl import load_workbook
04
05  config = configparser.ConfigParser()
```

105

```
06  config.read("sample.ini", encoding="utf-8") ──┐
07                                    設定ファイル(sample.ini)を読み込む
08  default = config["DEFAULT"] ── sample.iniの[DEFAULT]セクションを読み込む
09  filename = default["filename"] ── [DEFAULT]セクションのfilenameを読み込む
10  cellno = default["cellno"] ── [DEFAULT]セクションのcellnoを読み込む
11
12  wb = load_workbook(filename)
13  ws = wb.active
14
15  print(ws[cellno].value) ──────── ブックのセルの値を表示
```

```
> python config_arguments.py ──── プログラムを実行
鈴木太郎
```

　事前に作成した設定ファイルをreadメソッドで読み込み、プログラムで利用できました。

　本セクションでは、変わる可能性がある箇所をパラメーターにする4つの方法を紹介しました。プログラムの用途や使うシーンに合わせて、適切な方法を選びましょう。

024 実行結果をわかりやすくするためにログを出力する

ここまで基礎的なサンプルプログラムを紹介してきましたが、プログラムを簡潔にするためにログ出力をあえて省略していました。ただし実際の業務で使う場合は、処理が正しく実行されたかを確認できるように、ログ出力したいケースが多いでしょう。ログ出力しておくと、エラーが発生したときに原因調査がしやすくなります。

Pythonでログを出力するには、**loggingモジュール**を使用します。標準ライブラリなので、追加でインストールする必要はありません。

- **loggingモジュール**
  https://docs.python.org/ja/3/library/logging.html

このサンプルプログラムでは、ユーザーが入力した数だけブックを作成します。ログファイル（create_book.log）には、処理の開始と終了時、エラー（例外）発生時にログが出力されます。

```
> python logging_create_book.py 3        ❶作成するブック数を入力して実行
```

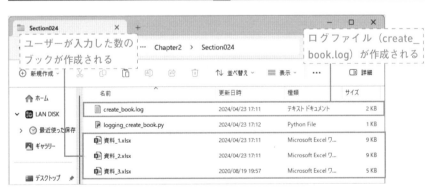

正常に処理が終了した場合のログ出力例

```
01  2024-05-01 15:54:25,561: [INFO] 処理を開始しました
02  2024-05-01 15:54:25,577: [INFO] ブックを作成しました: 資料_1.xlsx
03  2024-05-01 15:54:25,577: [INFO] ブックを作成しました: 資料_2.xlsx
04  2024-05-01 15:54:25,593: [INFO] ブックを作成しました: 資料_3.xlsx
05  2024-05-01 15:54:25,593: [INFO] 処理が終了しました
```

エラーが発生した場合のログ出力例

```
01  2024-05-01 15:54:50,872: [INFO] 処理を開始しました
02  2024-05-01 15:54:50,872: [ERROR] 例外が発生しました
03  Traceback (most recent call last):
04    File ".\logging_create_book.py", line 14, in <module>
05      count = sys.argv[1]
06              ~~~~~~~~^^^
07  IndexError: list index out of range
08  2024-05-01 15:54:50,872: [INFO] 処理が終了しました
```

■ ログを出力する方法

　ログを出力するには、ログのファイル名や書式を**logging.basicConfigメソッド**で指定します。

```
logging.basicConfig(filename=ログファイル名, level=ログのレベル,
                    format=ログの書式)
```

　ログの書式を設定しない場合、「INFO:root:処理を開始しました」のように出力されます。日時なども出力したいときは、format引数に書式を指定しましょう。format引数に指定できる書式は、以下のページを参照してください。

- **ログの書式**

https://docs.python.org/ja/3/library/logging.html#logrecord-attributes

　ログ出力するメソッドは、ログのレベル（DEBUGレベル～CRITICALレベル）ごとに用意されています。レベルとはログの種類を表すもので、出力する内容に合わせてレベルを適切に使い分けることで、該当のログのみ抽出しやすくなるメリットがあります。ログのレベルを以下にまとめます。

メソッド	説明
logging.debug()	DEBUGレベル。デバッグ用の情報表示に使う
logging.info()	INFOレベル。想定した処理が実施されたことを表す
logging.warning()	WARNINGレベル。処理を止める必要はないレベルの事象が発生したことを表す
logging.error()	ERRORレベル。重大なエラーが発生し、機能を続行できないことを表す。例外のスタックトレースも出力したいときは、logging.exceptionメソッドを使う
logging.critical()	CRITICALレベル。ERRORレベルよりさらに重大なエラーが発生し、処理が続行できないことを表す

この表では重要度が低いレベルから並べており、DEBUGレベルが最も重要度が低く、CRITICALレベルが最も高くなります。

basicConfigメソッドのlevel引数に指定したレベルより低いレベルのログは、ログファイルに出力されません。たとえばlevel引数がWARNINGレベルの場合、それより重要度が低いDEBUGレベル、INFOレベルのログは出力されません。もしDEBUGレベルのログを出力する場合は、引数の値も出力しておくと、エラーを調査する際に役立ちます。

Windowsの場合、作成されたログファイルの文字コードはCP932になるので、ログファイルを開くときはWindows標準の「メモ帳」などを使用してください。

☑ ログを出力する

それではサンプルプログラムを見てみましょう。

logging_create_book.py

```
01  import logging
02  import sys
03
04  from openpyxl import Workbook
05
06  logging.basicConfig(
07      filename="create_book.log",
08      level=logging.INFO,
09      format="%(asctime)s: [%(levelname)s] %(message)s",
10  )
11
12  logging.info("処理を開始しました")          INFOレベルのログ
13  try:
14      count = sys.argv[1]                  ユーザーが入力した数を取得
15      for i in range(int(count)):
16          wb = Workbook()
17          ws = wb.active
18          ws.title = "概要"
19
20          file_name = f"資料_{i + 1}.xlsx"
21          wb.save(file_name)                  INFOレベルのログ
22          logging.info("ブックを作成しました: %s", file_name)
23
24  except Exception:
25      logging.exception("例外が発生しました")      ERRORレベルのログ
26
27  logging.info("処理が終了しました")          INFOレベルのログ
```

basicConfigメソッドのlevel引数にINFOレベルを指定しているので、INFOレベル以上のログのみ出力されます。format引数には日時を表す「%(asctime)s」、レベルを表す「%(levelname)s」、ログメッセージを表す「%(message)s」を指定しています。

　for文では、ユーザーが入力した数だけブックを作成しています。その中で出力するINFOログでは、作成したブック名も出力したいため、「logging.info("ブックを作成しました: %s", file_name)」と記述しています。このように記述すると、file_name変数の値が「%s」と記述した箇所に埋め込まれます。

　また、例外が発生したときにスタックトレースも出力したいため、except節ではlogging.exceptionメソッドを使用しています。

025 | 指定した日時に プログラムを実行する

　プログラムを決まった日時（毎日19時、毎週月曜日など）に実行したいことはよくありますが、手動実行だと忘れてしまう可能性があります。ここでは、前ページで紹介したサンプルプログラムを毎日19時に実行するように設定してみましょう。指定した日時にプログラムを実行するのは、Pythonの機能だけでは実現が難しいので、OSの機能を使います。　本書では、Windowsのタスクスケジューラを使った方法を解説します。タスクスケジューラは、スタートメニューから起動できます。

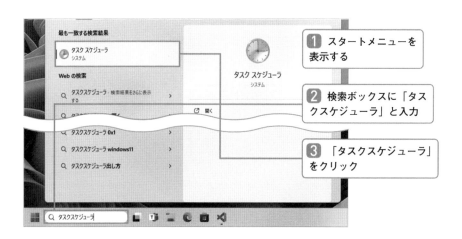

1 スタートメニューを表示する

2 検索ボックスに「タスクスケジューラ」と入力

3 「タスクスケジューラ」をクリック

◢ タスクを作成する

1 ［タスクの作成］をクリック

2 [名前] に任意の名前を入力

3 [説明] にタスクの説明文を入力

4 [トリガー] をクリック

5 [新規] をクリック

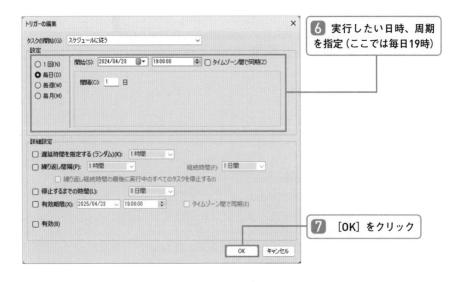

6 実行したい日時、周期を指定 (ここでは毎日19時)

7 [OK] をクリック

8 [操作] をクリック

9 [新規] をクリック

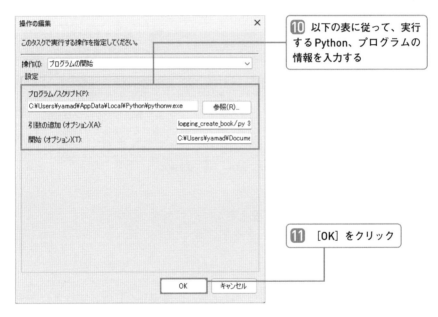

10 以下の表に従って、実行するPython、プログラムの情報を入力する

11 [OK] をクリック

項目	設定する値
プログラム/スクリプト	pythonw.exeのパス入力する (ここでは「C:¥Users¥yamad¥AppData¥Local¥Python¥pythonw.exe」を入力)
引数の追加 (オプション)	実行したいプログラムのファイル名を入力する。コマンドライン引数を渡したい場合は、そのあとに半角スペースを空けて入力 (ここでは「logging_create_book.py 3」を入力)
開始 (オプション)	[引数の追加 (オプション)]で指定したプログラムが、格納されているパスを入力する(ここでは「C:¥Users¥yamad¥Documents¥20_samplecode¥Chapter2¥Section025」を入力)

これでタスクの登録が完了しました。

◢ タスクの実行

タスクを作成すると、登録したプログラムが指定した日時に実行されます。本サンプルプログラムは実行されると、ログファイルとブックが作成されます。指定した時間にプログラムが実行されることを確認してみましょう。

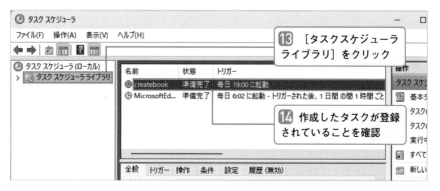

Chapter
3

**表の見た目を
素早く整える**

026 文字の書式を統一する

　本章では、Excelで作成した表の見た目をプログラムで整える方法を解説していきます。表は色や罫線によって見やすさが大きく変わります。そのため、表を作成するたびに、書式を整える作業をされている方が多いでしょう。手作業でもいいのですが、文字を毎回同じ色に変えたり罫線を引いたりしているのであれば、プログラムで設定してしまうのが楽でしょう。ここではまず、文字の書式を整える方法を紹介します。ある表の見出しを、文字のフォントを「ＭＳ Ｐ明朝」、色を「青」、サイズを「18」、スタイルを「太字」にするサンプルプログラムです。

セル B2～F2 に表の見出しが入力されている状態

```
> python set_font.py ——————— プログラムを実行
```

表の見出しのフォント、色、サイズ、スタイルが変わった

✅ 文字の書式を設定する方法

　文字の書式を設定するには、**Fontオブジェクト**を使用します。Fontオブジェクトには、フォントや色などさまざまな引数が用意されています。生成したFontオブジェクトをセルの**font属性**に設定することで、そのセルの文字に関する書式が設定できます。

```
cell.font = Font(name=フォントの名前, color=RGB形式の色,
                 size=サイズ, bold=太字にする場合はTrue)
```

　name引数に指定するフォントの名前は、Excelで表示される「ＭＳ Ｐゴシック」や「ＭＳ 明朝」という名前をそのまま使用できます。名前の全角・半角が誤っていると、フォントの設定がされないので注意してください。color引数は文字の色、size引数は文字のサイズを指定します。color引数にはRGB形式の色を記述します。太字にする場合は、bold引数をTrueにします。

　Excelでよく使う文字の設定では、たとえば「斜体」や「取り消し線」といったものもありますね。Fontオブジェクトでは、これらの機能も扱えます。上記以外でよく使われる引数を、以下にまとめます。

引数	説明
italic	斜体にする場合はTrueにする
strikethrough	取り消し線を引く場合はTrueにする
underline	下線を引く。下線の種類によって、次の値を設定する。下線は"single"、二重下線は"double"、下線（会計）は"singleAccounting"、二重下線（会計）は"doubleAccounting"
vertAlign	文字を上付きにする場合は"superscript"、下付きの場合は"subscript"を設定する

✅ 文字の書式を統一する

　それではサンプルプログラムを見てみましょう。

set_font.py
```
01  from openpyxl import load_workbook
02  from openpyxl.styles import Font
03
04  wb = load_workbook("売上実績.xlsx")
05  ws = wb.active
```

06	
07	`blue_font = Font(name="ＭＳ Ｐ明朝", color="0000FF", size=18,` `bold=True)` ── 文字の書式を生成
08	
09	`for row in ws["B2:F2"]:`
10	`    for cell in row:`
11	`        cell.font = blue_font` ── セルにFontオブジェクトを設定する
12	
13	`wb.save("売上実績_変更後.xlsx")`

　生成したFontオブジェクトを、セルのfont属性に代入します。これを、書式を設定したいセル範囲（セルB2〜F2）で繰り返し処理します。ここで注意してほしいのは、文字の書式は、ブックやシートではなく、あくまでセルに設定することです。そのため、書式を設定したいセルすべてに対して、処理を行う必要があります。プログラムを実行したあとにExcelの画面上で確認すると、文字の書式が設定されたことを確認できます。

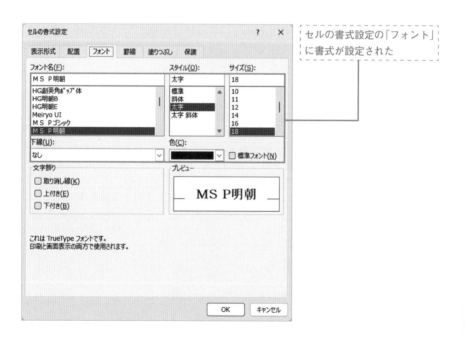

セルの書式設定の「フォント」に書式が設定された

027 | 罫線を統一する

　次は、罫線を引くサンプルプログラムです。罫線を引くことも、Excelで
はとてもよく行いますね。罫線を引きたい行数や場所が多い場合は、対象の
セルを選択するのが手間なときもあります。その場合は、プログラムで設定
するとよいでしょう。設定方法は、前のセクションで行った文字の書式設定
とほぼ同じ要領です。

	A	B	C	D	E	F	G	H	I	J	
1											
2		項番	日付	総売上（税抜）	総売上（税込）	来店人数					
3		1	2024/4/1	180000	198000	198					
4		2	2024/4/2	220000	242000	242					
5		3	2024/4/3	280000	308000	308					
6		4	2024/4/4	176500	194150	193					
7		5	2024/4/5	180300	198330	198					
8		6	2024/4/6	220000	242000	242					
9		7	2024/4/7	280000	308000	308					
10		8	2024/4/8	198000	217800	217					
11		9	2024/4/9	174000	191400	191					
12		10	2024/4/10	220000	242000	242					

セルB2〜F12にデータが入力されている

```
> python set_border.py
```
プログラムを実行

	A	B	C	D	E	F	G	H	I	J	
1											
2		項番	日付	総売上（税抜）	総売上（税込）	来店人数					
3		1	2024/4/1	180000	198000	198					
4		2	2024/4/2	220000	242000	242					
5		3	2024/4/3	280000	308000	308					
6		4	2024/4/4	176500	194150	193					
7		5	2024/4/5	180300	198330	198					
8		6	2024/4/6	220000	242000	242					
9		7	2024/4/7	280000	308000	308					
10		8	2024/4/8	198000	217800	217					
11		9	2024/4/9	174000	191400	191					
12		10	2024/4/10	220000	242000	242					

格子状の罫線が引かれた

罫線を設定する方法

　罫線を引くには、まずは**Sideオブジェクト**を使用し、罫線の書式を設定し

ます。Sideオブジェクトには色と線についての引数が用意されています。

```
Side(color=RGB形式の色, border_style=線のスタイル)
```

color引数は文字の書式と同様で、色の指定を行えます。border_style引数
では、罫線のスタイルを設定できます。以下の値を記述することで、Excel
の画面上と同じようにスタイルを選択できます。

border_style引数の値	線のスタイル
hair	極細線
thin	線の太さが通常
medium	通常と太線の間の太さ
thick	太線
double	二重線

次に、生成したSideオブジェクトを使って**Borderオブジェクト**を生成しま
す。そのBorderオブジェクトをセルの**border属性**に設定することで、その
セルに罫線を引くことができます。

```
cell.border = Border(left=Sideオブジェクト,
                     right=Sideオブジェクト,
                     top=Sideオブジェクト,
                     bottom=Sideオブジェクト)
```

left引数は左、right引数は右、top引数は上、bottom引数は下の罫線を表
します。この4つの引数すべてにSideオブジェクトを設定すると、上下左右
に線がある格子状の罫線を引くことができます。

格子状の罫線

罫線を統一する

それではサンプルプログラムを見てみましょう。

set_border.py

```
01  from openpyxl import load_workbook
02  from openpyxl.styles import Border, Side
03
04  wb = load_workbook("売上実績.xlsx")
05  ws = wb.active
06                                                    罫線の書式
07  black_thin = Side(color="000000", border_style="thin")
08  border = Border(left=black_thin, right=black_thin, top=black_
    thin, bottom=black_thin)                罫線の場所を指定
09
10  for row in ws.iter_rows(min_row=2, min_col=2):
11      for cell in row:
12          cell.border = border        セルにBorderオブジェクトを設定する
13
14  wb.save("売上実績_変更後.xlsx")
```

　生成したSideオブジェクトを、セルのborder属性に代入します。この処理を、特定のセル範囲で繰り返します。罫線を引くのも、文字の書式と同じでセルに書式を設定していきます。

ここもポイント ┃ さまざまなスタイルで罫線を引く

先ほどは、格子状の罫線を引く方法を紹介しました。しかし、表を見やすくするために、上下のみに罫線を引くこともよくありますね。その場合は、top引数のみ指定したBorderオブジェクトと、bottom引数のみ指定したBorderオブジェクトを作成します。

```
black_double = Side(color="000000",
                border_style="double")        二重線
double_top = Border(top=black_double)         上のみ二重罫線
double_bottom = Border(bottom=black_double)   下のみ二重罫線
```

	A	B	C	D	E
1					
2		項番	日付	来店人数	
3		1	2024/4/1	198	
4		2	2024/4/2	242	
5		3	2024/4/3	308	
6					

上下のみに二重罫線を引く

このように、罫線を引きたい場所のみ引数を指定したBorderオブジェクトを、対象のセルに設定することで、さまざまなバリエーションで罫線を作成できるのです。

028 列の幅を調整して 表を見やすくする

　Excelで見やすい表を作るには、その列の内容によって、列幅を調整することが重要です。列数が多く、かつ列によって異なる幅に変更したい場合は、手作業ではなくプログラムで調整するのもよいでしょう。ここでは、列の幅を変更するサンプルプログラムを紹介します。本サンプルプログラムでは、B列の幅を狭くし、C、D列の幅を広くします。

	A	B	C	D	E	F	G	H	I
1									
2		項番	総売上（税抜）	総売上（税込）					
3		1	180000	198000					
4		2	220000	242000					
5		3	280000	308000					
6		4	176500	194150					
7		5	180300	198330					
8		6	220000	242000					
9		7	280000	308000					
10		8	198000	217800					
11		9	174000	191400					
12		10	220000	242000					

セルB2〜D12にデータが入力されている

```
> python set_width.py
```
プログラムを実行

	A	B	C	D	E	F	G
1							
2		項番	総売上（税抜）	総売上（税込）			
3		1	180000	198000			
4		2	220000	242000			
5		3	280000	308000			
6		4	176500	194150			
7		5	180300	198330			
8		6	220000	242000			
9		7	280000	308000			
10		8	198000	217800			
11		9	174000	191400			
12		10	220000	242000			

B列の幅が狭くなり、C、D列の幅が広くなった

☑ 列の幅を設定する方法

　openpyxlには、列の幅を、セルの文字数に合わせて自動で調整する機能はありません。そのため、個別に幅を指定します。列の幅を設定するには、**Worksheet.column_dimensionsのwidth属性**を使用します。

```
ws.column_dimensions[列名].width = 列の幅（単位：文字数）
```

　P.81と同様で、列名には、A、B、C……というアルファベットを指定します。1、2、3……のように数値は指定できないので注意しましょう。

　行の高さを設定するには、**Worksheet.row_dimensionsの height属性**を使用します。

```
ws.row_dimensions[行番号].height = 行の高さ（単位：ポイント）
```

　行番号には1、2、3……といった数値を指定します。

☑ 列の幅を設定する

　それではサンプルプログラムを見てみましょう。

set_width.py
```
01  from openpyxl import load_workbook
02
03  wb = load_workbook("売上実績.xlsx")
04  ws = wb.active
05  column_width = {"B": 6, "C": 30, "D": 30}    列名と設定する列幅を用意
06
07  for col, width in column_width.items():
08      ws.column_dimensions[col].width = width   列幅の設定
09
10  wb.save("売上実績_変更後.xlsx")
```

　列名とそれぞれに設定したい列幅をPythonの辞書で用意し、それにもとづいて、for文で繰り返し処理を行います。辞書のキーと値を順に取り出すには、itemsメソッドを用います。itemsメソッドを使わずに「for col in column_width:」と記述すると、キーしか取得できないので注意しましょう。for文では、Worksheet.column_dimensionsのwidth属性に、列幅を設定していきます。

029 セルの色・文字の配置を整えて表を見やすくする

Excelで表を作成する際、見出しの色や文字の配置を変更して、見出しを強調したいことが多いでしょう。ここでは、表の見出しに対して、セルの塗りつぶしを緑色、文字の配置を中央揃えに変更するサンプルプログラムを紹介します。

	A	B	C	D	E	F	G	H
1								
2		項番	日付	総売上（税抜）	総売上（税込）	来店人数		
3		1	2024/4/1	180000		198000	198	
4		2	2024/4/2	220000				
5		3	2024/4/3	280000				
6		4	2024/4/4	176500				
7		5	2024/4/5	180300		198330	198	
8		6	2024/4/6	220000		242000	242	
9		7	2024/4/7	280000		308000	308	
10		8	2024/4/8	198000		217800	217	
11		9	2024/4/9	174000		191400	191	
12		10	2024/4/10	220000		242000	242	
13								

表の見出しは塗りつぶしなし、文字の配置が左詰めである

```
> python set_pattern.py  ─────  プログラムを実行
```

	A	B	C	D	E	F	G	H
1								
2		項番	日付	総売上（税抜）	総売上（税込）	来店人数		
3		1	2024/4/1	180000		198000	198	
4		2	2024/4/2	220000				
5		3	2024/4/3	280000				
6		4	2024/4/4	176500				
7		5	2024/4/5	180300				
8		6	2024/4/6	220000		242000	242	
9		7	2024/4/7	280000		308000	308	
10		8	2024/4/8	198000		217800	217	
11		9	2024/4/9	174000		191400	191	
12		10	2024/4/10	220000		242000	242	
13								

表の見出しが、緑色で塗りつぶされ、文字の配置が中央揃えになった

塗りつぶしと文字の配置を設定する方法

セルの塗りつぶしを設定するには、**PatternFillオブジェクト**を使用します。そのPatternFillオブジェクトをセルの**fill属性**に代入することで、そのセル

の塗りつぶしが設定できます。

```
cell.fill = PatternFill(fgColor=RGB形式の色,
                        bgColor=RGB形式の色,
                        fill_type=パターンの種類)
```

　fgColor引数とbgColor引数で、セルの色を設定できます。またExcelではセルを塗りつぶすだけではなく、見た目がドットのような「12.5% 灰色」や縞模様の「縦縞」などのパターンを選ぶこともできますね。

　その指定はfill_type引数で行います。fill_type引数に指定できる値のうち、代表的なものを以下にまとめます。

fill_type引数の値	パターンの種類
gray125	12.5% 灰色
darkGray	75% 灰色
solid	塗りつぶし
darkHorizontal	横縞
darkVertical	縦縞

　セルを塗りつぶしたいとき、色はfgColor引数で指定すれば問題ありません。ほかのパターンの種類で、パターン自体の色とその背景色を別にしたい場合には、それぞれfgColor引数とbgColor引数で色を指定します。

　次は、文字の配置を設定する方法です。文字の配置には、**Alignmentオブジェクト**を使用します。そのAlignmentオブジェクトをセルの**alignment属性**に代入することで、そのセルの文字配置が設定できます。

```
cell.alignment = Alignment(horizontal=横位置,
vertical=縦位置, wrap_text=「折り返して全体を表示」する場合はTrue,
shrink_to_fit=「縮小して全体を表示」する場合はTrue)
```

　横方向の位置を表すhorizontal引数には、次の値を記述できます。

horizontal引数の値	配置
left	左詰め
center	中央揃え
right	右詰め

　縦方向の位置を表すvertical引数には、次の値を記述できます。

vertical引数の値	配置
top	上詰め
center	中央揃え
bottom	下詰め

　また、セルの幅より文字数が多い場合に「折り返して全体を表示」するか「縮小して全体を表示」するかは、それぞれwrap_text引数、shrink_to_fit引数で指定できます。列幅は変更したくないが、文字が見えなくなることを避けたい場合に使う機能なので、覚えておくとよいでしょう。

◢ 塗りつぶしと文字の配置を設定する

　それではサンプルプログラムを見てみましょう。

set_pattern.py

```
01  from openpyxl import load_workbook
02  from openpyxl.styles import Alignment, PatternFill
03
04  wb = load_workbook("売上実績.xlsx")
05  ws = wb.active
06
07  green_fill = PatternFill(fgColor="C6E0B4", fill_type="solid")
08  center_alignment = Alignment(horizontal="center",
    vertical="center")
09
10  for row in ws["B2:F2"]:
11      for cell in row:
12          cell.fill = green_fill              塗りつぶしを設定
13          cell.alignment = center_alignment   文字の配置を設定
14
15  wb.save("売上実績_変更後.xlsx")
```

　生成したPatternFillオブジェクトとAlignmentオブジェクトを、セルの属性に代入していきます。これを、特定のセル範囲で繰り返します。要領としては、文字の色を変えたり罫線を引いたりするときと同じです。

·030· セルの表示形式を設定する

　Excelで表を作成する際、セルの内容に合わせて表示形式を変更すると見やすくなります。たとえば、日時が格納されている列を「2024年1月1日」のように日付だけ表示するようにしたり、数値が格納されている列を「123.01」のように小数点以下を2桁で表示するようにしたりしますね。ここでは、表の「日付」列を「2024-01-01」のように「-」区切りで表示し、「金額」列を3桁のカンマ区切りで表示するように設定するサンプルプログラムを紹介します。

	A	B	C	D	E	F	G	H	I	J
1										
2		項番	日付	総売上	来店人数					
3		1	2024/4/1	180000	198					
4		2	2024/4/2	220000	242					
5		3	2024/4/3	280000	308					
6		4	2024/4/4	176500	193					
7		5	2024/4/5	180300	198					
8										

セルB2〜E7にデータが入力されている

```
> python set_number_format.py ――――  プログラムを実行
```

	A	B	C	D	E	F	G	H	I	J
1										
2		項番	日付	総売上	来店人数					
3		1	2024-04-01	180,000	198					
4		2	2024-04-02	220,000	242					
5		3	2024-04-03	280,000	308					
6		4	2024-04-04	176,500	193					
7		5	2024-04-05	180,300	198					
8										

「日付」列が「yyyy-mm-dd」、「総売上」列が3桁のカンマ区切りの表示形式になった

▨ セルの表示形式を設定する方法

　セルの表示形式を設定するには、セルの**number_format属性**を使用します。

```
cell.number_format = セルの表示形式
```

number_format属性には、表示したい形式を代入します。代入する値は、Excelの画面上で設定するときと同じです。代表的なものを紹介しましょう。

表示形式	説明
yyyy"年"m"月"d"日"	2024年1月1日のように、年月日を表示する
h"時"mm"分"ss"秒"	9時00分00秒のように、時間を表示する
0.00	1.01のように、小数点以下を2桁で表示する
#,##0	1,000のように、3桁のカンマ区切りで表示する
0%	10%のように、パーセントで表示する

☑ セルの表示形式を設定する

それではサンプルプログラムを見てみましょう。

set_number_format.py

```
01  from openpyxl import load_workbook
02
03  wb = load_workbook("売上実績.xlsx")
04  ws = wb.active
05
06  for row in ws.iter_rows(min_col=3, max_col=4, min_row=3):
07      row[0].number_format = "yyyy-mm-dd"
08      row[1].number_format = "#,##0"
09
10  wb.save("売上実績_変更後.xlsx")
```

Worksheet.iter_rowsメソッドで、C列とD列のセルを順番に取得します。そのセルのnumber_format属性に代入する値は、日付を「2024-01-01」のように表示するには「yyyy-mm-dd」、数値を3桁のカンマ区切りで表示するには「#,##0」となります。

031 セルの書式をコピーする

　ここまで、文字や背景色といったセルの書式設定をプログラムで行う方法について解説してきましたが、openpyxlでは、特定のセルの書式をコピーして、別のセルに反映することも可能です。プログラム内で、フォント名や色を明示的に指定するのではなく、あるセルと同じ書式を使いたい場合に利用してみましょう。

D2		✓	fx	合計					
	A	B	C	D	E	F	G	H	I	J
1									
2				合計	1139				
3									
4		項番	日付	総売上	来店人数				
5		1	2024/4/1	180000	198				
6		2	2024/4/2	220000	242				
7		3	2024/4/3	280000	308				
8		4	2024/4/4	176500	193				
9		5	2024/4/5	180300	198				
10									

```
> python cellstyle_copy.py
```
プログラムを実行

D2		✓	fx	合計			セルD2にセルB4の書式が設定された
	A	B	C	D	E	F	
1							
2				**合計**	1139		
3							
4		項番	日付	総売上	来店人数		
5		1	2024/4/1	180000	198		
6		2	2024/4/2	220000	242		
7		3	2024/4/3	280000	308		
8		4	2024/4/4	176500	193		
9		5	2024/4/5	180300	198		
10							

129

■ セルの書式をコピーする方法

セルの書式をコピーするには、Pythonの標準ライブラリである**copy**を利用します。

- **copy**
  https://docs.python.org/ja/3/library/copy.html

copyは、オブジェクトのコピーを行うライブラリです。たとえば、元のセルの書式のうちフォントをコピーしたい場合は、次のように記述します。

```
コピー先のセル.font = copy(コピー元のセル.font)
```

主に、次の書式がコピー可能です。

コピー可能な書式	説明
alignment	文字配置
border	罫線
fill	塗りつぶし
font	フォント

■ セルの書式をコピーしてほかのセルに設定する

それでは、サンプルプログラムを見てみましょう。

cellstyle_copy.py

```
01  from copy import copy
02
03  from openpyxl import load_workbook
04
05  wb = load_workbook("売上実績.xlsx")
06  ws = wb.active
07
08  ws["D2"].font = copy(ws["B4"].font)
09  ws["D2"].alignment = copy(ws["B4"].alignment)
10  ws["D2"].fill = copy(ws["B4"].fill)
11
12  wb.save("売上実績_変更後.xlsx")
```

読み込んだ「売上実績.xlsx」のセルB4の書式のうち、フォント、文字配置、塗りつぶしの順にコピーして、コピー先のセルに書式を反映しています。文字の色を変えたり罫線を引いたりするときと同じように、書式設定は、セル1つずつに対して行う必要があります。

ここもポイント ｜ セルの書式を丸ごとコピーするには？

セルの書式は基本的に、フォント、文字配置、のように1つずつコピーするものなので、openpyxlの公式ドキュメントでは、書式を丸ごとコピーする方法については記載がありません。しかし、_style属性を使うと、複数のセル書式を一度にコピーできるようです。

```
コピー先のセル._style = copy(コピー元のセル._style)
```

公式ドキュメントに記載がないので、あくまで裏技的な方法です。そのため、バージョンアップなどで使えなくなる可能性があることを認識しておきましょう。

032 特定のセルや行に色を付けて強調する

　表では、値の大小などの条件に合わせて、セルの背景色を変えると見やすくなります。このようなとき、Excelの機能である「条件付き書式」を使いますね。openpyxlで「条件付き書式」を扱うにはいくつか方法がありますが、ここでは、よく使われる2つの方法について紹介します。

▨ 指定より大きい値のセルに色を付ける方法

	A	B	C	D	E	F	G	H	I	J
1										
2		項番	日付	総売上（税抜）	総売上（税込）	来店人数				
3		1	2024/4/1	180000	198000	198				
4		2	2024/4/2	220000	242000	242				
5		3	2024/4/3	280000	308000	300				
6		4	2024/4/4	176500	194150	193				
7		5	2024/4/5	180300	198330	198				
8		6	2024/4/6	220000	242000	242				
9		7	2024/4/7	280000	308000	308				
10		8	2024/4/8	198000	217800	217				
11		9	2024/4/9	174000	191400	191				
12		10	2024/4/10	220000	242000	242				

セルB2〜F12にデータが入力されている

```
> python conditional_rule.py
```
プログラムを実行

	A	B	C	D	E	F	G	H	I	J
1										
2		項番	日付	総売上（税抜）	総売上（税込）	来店人数				
3		1	2024/4/1	180000	198000	198				
4		2	2024/4/2	220000	242000	242				
5		3	2024/4/3	280000	308000	300				
6		4	2024/4/4	176500	194150	193				
7		5	2024/4/5	180300	198330	198				
8		6	2024/4/6	220000	242000	242				
9		7	2024/4/7	280000	308000	308				
10		8	2024/4/8	198000	217800	217				
11		9	2024/4/9	174000	191400	191				
12		10	2024/4/10	220000	242000	242				

「来店人数」の列で、値が300以上のセルが赤色に変わった

　「ある条件を満たしたセル」の書式を変更するには、まずは、「条件付き書式」を作成します。作成には、**CellIsRuleオブジェクト**を用います。

```
CellIsRule(operator=条件, formula=[値],
            font=Fontオブジェクト, border=Borderオブジェクト,
            fill=PatternFillオブジェクト)
```

operator引数には、「いつ書式を変更するのか」という条件を記述します。
この条件は、そのあとのformula引数に記述した値に対して適用されます。

operator引数の値	条件
greaterThan	より大きい
greaterThanOrEqual	以上
lessThan	より小さい
lessThanOrEqual	以下
equal	等しい
notEqual	等しくない
between	値の間
notBetween	値の間以外

特定の文字列で始まるといった詳細な条件を指定したい場合は、P.135で
解説するFormulaRuleオブジェクトを使用します。

font、border、fill引数には、条件を満たした場合に設定する書式を、Font
オブジェクトや PatternFillオブジェクトで設定します。

CellIsRuleオブジェクトを作成できたら、条件付き書式をどのセルに設定
するのかを**Worksheetのconditional_formatting.addメソッド**で設定します。

```
ws.conditional_formatting.add(条件付き書式を設定するセル範囲,
                              CellIsRuleオブジェクト)
```

それではサンプルプログラムを見てみましょう。

conditional_rule.py
```
01  from openpyxl import load_workbook
02  from openpyxl.formatting.rule import CellIsRule
03  from openpyxl.styles import PatternFill
04
05  wb = load_workbook("売上実績.xlsx")
06  ws = wb.active
07
08  red_fill = PatternFill(bgColor="FF0000", fill_type="solid")
09  cell_rule = CellIsRule(operator="greaterThanOrEqual",
    formula=[300], fill=red_fill)
```

```
10  ws.conditional_formatting.add("F3:F12", cell_rule) ─── セル範囲に
                                                           設定
11
12  wb.save("売上実績_変更後.xlsx")
```

　CellIsRuleオブジェクトで条件付き書式を作成し、その条件付き書式を
conditional_formatting.addメソッドで、特定のセル範囲（F3:F12）に設定し
ます。これまで、文字の色を変更したり罫線を引いたりするときはセルに対
して繰り返し処理を行ってきました。しかし、条件付き書式は、セルではな
くシートに対して設定するものなので、conditional_formatting.addメソッド
を呼ぶだけでOKです。プログラムを実行したあとにExcelの［ホーム］タブ
-［条件付き書式］-［ルールの管理］の順にクリックして確認すると、以下
の条件付き書式が設定されたことがわかります。

条件を満たした行に色を付ける方法

	A	B	C	D	E	F	G	H	I
1									
2		項番	課題	ステータス	優先度	期限	担当者		
3		1	想定と異なる数値が表示される	完了	A	2024/4/1	鈴木		
4		2	画面が表示できない	完了	A				
5		3	画面がフリーズする	対応中	A	セルB3〜G12にデータが			
6		4	文字の色が設計書と異なる	対応中	C	入力されている			
7		5	ボタン名が設計書と異なる	対応中	C	2024/4/2	渡辺		
8		6	テキストボックスが非活性になる	対応中	C	2024/4/3	井上		
9		7	検索ボタンがクリックできない	起票	B	2024/4/3	生田		
10		8	メールが送信されない	起票	A	2024/4/3	坂井		
11		9	リストに想定と異なる値が表示される	起票	B	2024/4/3	郡司		
12		10	エラーメッセージが表示されない	起票	C	2024/4/6	金本		
13									

```
> python conditional_formula.py ──── プログラムを実行
```

	A	B	C	D	E	F	G	H	I
1									
2		項番	課題	ステータス	優先度	期限	担当者		
3		1	想定と異なる数値が表示される	完了	A	2024/4/1	鈴木		
4		2	画面が表示できない	完了	A	2024/4/1	佐藤		
5		3	画面がフリーズする	対応中	A	2024/4/1	石川		
6		4	文字の色が設計書と異なる	対応中	C	2024/4/1	安城		
7		5	ボタン名が設計書と異なる	対応中	C	20	「ステータス」の列が、		
8		6	テキストボックスが非活性になる	対応中	C	20	「完了」になっている行		
9		7	検索ボタンがクリックできない	起票	B	20	が灰色に変わった		
10		8	メールが送信されない	起票	A	20			
11		9	リストに想定と異なる値が表示される	起票	B	2024/4/3	郡司		
12		10	エラーメッセージが表示されない	起票	C	2024/4/6	金本		
13									

より詳細な条件を指定したり、行全体の色を変更したりする場合は、数式を使用して条件付き書式を作成します。その場合は、**FormulaRuleオブジェクト**を用います。

```
FormulaRule(formula=[数式],
            font=Fontオブジェクト, border=Borderオブジェクト,
            fill=PatternFillオブジェクト)
```

先ほどのCellIsRuleオブジェクトと、引数がかなり似ていますね。数式を使用するものなので、formula引数に数式を記述する点が異なります。こちらもCellIsRuleオブジェクトのときと同様で、条件付き書式を特定のセル範囲に設定するには、conditional_formatting.addメソッドを呼び出します。

それではサンプルプログラムを見てみましょう。

conditional_formula.py

```python
01  from openpyxl import load_workbook
02  from openpyxl.formatting.rule import FormulaRule
03  from openpyxl.styles import PatternFill
04
05  wb = load_workbook("課題一覧.xlsx")
06  ws = wb.active
07
08  gray_fill = PatternFill(bgColor="C0C0C0", fill_type="solid")
09  cell_rule = FormulaRule(formula=['$D3="完了"'],
                            fill=gray_fill)
10  ws.conditional_formatting.add("B3:G12", cell_rule)
11
12  wb.save("課題一覧_変更後.xlsx")
```

09・10行目 数式を使用して条件付き書式を作成

FormulaRuleオブジェクトで条件付き書式を作成します。「ステータス」列（D列）の値が「完了」のときに行を灰色にするため、formula引数に数式「$D3="完了"」を指定します。参照する列は「D」で固定したいので、「$」を「D」の前に記述しています。最後に、conditional_formatting.addメソッドで、その条件付き書式を特定のセル範囲（B3:G12）に設定します。プログラムを実行したあとにP.134の手順で書式ルールを確認すると、以下の条件付き書式が設定されたことがわかります。

数式「=$D3="完了"」を満たす場合に、色を変更する条件付き書式が設定された

033 | データの入力規則を設定する

データの入力規則を設定するサンプルプログラムです。多数の人が更新する表の場合、ある列は特定の値のみ入力できるようにしたい場合があります。その場合はExcelの「データの入力規則」機能を使いますが、openpyxlでも扱うことができます。本サンプルプログラムでは、入力可能な値はリストで表示するようにします。

	A	B	C	D	E	F	G
1						D列はすべて空欄のセル	
2		項番	課題	ステータス	優先度	期限	担当者
3		1	想定と異なる数値が表示される		A	2024/4/1	鈴木
4		2	画面が表示できない		A	2024/4/1	佐藤
5		3	画面がフリーズする		A	2024/4/1	石川
6		4	文字の色が設計書と異なる		C	2024/4/2	宮城
7		5	ボタン名が設計書と異なる		C	2024/4/2	渡辺
8		6	テキストボックスが非活性になる		C	2024/4/3	井上
9		7	検索ボタンがクリックできない		B	2024/4/3	生田
10		8	メールが送信されない		A	2024/4/3	坂井
11							

```
> python set_validation.py ──── プログラムを実行
```

	A	B	C	D	E	F	G
1							
2		項番	課題	ステータス	優先度	期限	担当者
3		1	想定と異なる数値が表示される	▼		2024/4/1	鈴木
4		2	画面が表示できない	対応待ち	A	2024/4/1	佐藤
5		3	画面がフリーズする	対応中	A	2024/4/1	石川
6		4	文字の色が設計書と異なる	完了	C	2024/4/2	宮城
7		5	ボタン名が設計書と異なる		C	2024/4/2	渡辺
8		6	テキストボックスが非活性になる		C	2024/4/3	井上
9		7	検索ボタンがクリックできない		B	2024/4/3	生田
10		8	メールが送信されない		A	2024/4/3	坂井
11							

D列に、対応待ち、対応中、完了という値のみ入力可能にするリストが作成された

■ データの入力規則を設定する方法

データの入力規則を設定するには、まずは**DataValidationオブジェクト**を作成します。

```
validation = DataValidation(type=入力値の種類,
                            formula1=入力可能にする値,
                            allow_blank=「空白を無視する」場合は
                            True)
```

type引数には、「日付」や「リスト」といった入力値の種類を記述します。記述できる値は以下の通りです。Excelの画面上で選べるものと同じですね。

type引数の値	入力値の種類
whole	整数
time	時刻
date	日付
textLength	文字列（長さ指定）
list	リスト
custom	ユーザー設定
decimal	小数点

allow_blank引数は、「空白を無視する」場合にTrueを記述します。

DataValidationオブジェクトでデータの入力規則を作成したら、次は設定するセルの範囲を、**DataValidation.addメソッド**で追加します。

```
validation.add(セルの範囲)
```

データの入力規則はセルに設定するものですが、addメソッドでセル範囲を指定できるため、セル1つずつに設定する必要はありません。

Worksheetのadd_data_validationメソッドに、先ほど生成したDataValidationオブジェクトを設定することで、そのシートにデータの入力規則が設定できます。

```
ws.add_data_validation(validation)
```

☑ 入力規則のリストを作成する

それではサンプルプログラムを見てみましょう。

set_validation.py

```
01  from openpyxl import load_workbook
02  from openpyxl.worksheet.datavalidation import DataValidation
03
04  wb = load_workbook("課題一覧.xlsx")
05  ws = wb.active
06
07  validation = DataValidation(
08      type="list", formula1='"対応待ち,対応中,完了"', allow_
    blank=False
09  )
10
11  validation.add("D3:D10")  ——— データの入力規則を設定するセル範囲を設定
12
13  ws.add_data_validation(validation) ——— データの入力規則をシートに設定
14  wb.save("課題一覧_変更後.xlsx")
```

DataValidationオブジェクトでデータの入力規則を作成します。type引数には"list"、formula1引数にはリストに表示したい値（'"対応待ち,対応中,完了"'）を指定します。validation.addメソッドで、データの入力規則を特定のセル範囲（D3:D10)に設定します。プログラムを実行したあとにExcel上で「対応待ち」「対応中」「完了」のいずれかのステータスを選択し、[データ]タブ-[データの入力規則]をクリックして確認してみましょう。以下のデータの入力規則が作成されたことがわかります。

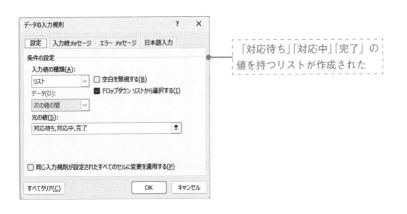

「対応待ち」「対応中」「完了」の
値を持つリストが作成された

139

034 | スクロールしても表の見出しを常に表示する

　表では、データの行数や列数が多い場合、スクロールすると見出しが見えなくなってしまいます。その場合「ウィンドウ枠の固定」機能を使いますね。ここでは、openpyxlで「ウィンドウ枠の固定」を行う方法を紹介します。ウィンドウ枠の固定には、主に3通りの方法があります。

◢ ウィンドウ枠の固定（行）を行う方法

ウィンドウ枠の固定がされていないシート

```
> python freeze_row.py ――― プログラムを実行
```

3行目までが固定され、4行目以降がスクロールされる

　ウィンドウ枠を固定するには、**Worksheet.freeze_panes属性**に、固定するセル番地を設定します。

```
ws.freeze_panes = ウィンドウ枠を固定するセル番地
```

それではサンプルプログラムを見てみましょう。

freeze_row.py
```
01  from openpyxl import load_workbook
02
03  wb = load_workbook("作業時間.xlsx")
04  ws = wb.active
05
06  ws.freeze_panes = "A4" ——————[ウィンドウ枠の固定(行)を行う]
07
08  wb.save("作業時間_変更後.xlsx")
```

A列のセル番地を指定すると、その行までを固定することができます。「A4」とすると、1〜3行が固定され、4行以降がスクロール可能になります。

☑ ウィンドウ枠の固定(列)を行う方法

> python freeze_column.py ——————[プログラムを実行]

	A	B	C	D	K	L	M	N	O	P	Q	R	S	T	U	V	W	X	Y
1																			
2										2023年									
3		項番	形態	氏名	10月	11月	12月	1月	2月	3月	4月	5月	6月	7月	8月	9月	10月	11月	12月
4		1	正社員		2694	2692	2692	2714	2692	2685	2694	2732	2692	2685	2714	2692	2732	2714	273
5		2		新井太郎	163	171	171	180	171	163	163	180	171	163	180	171	180	180	18
6		3		鈴木一	181	171	171	180										180	17
7		4		田中さちえ	164	170	170	170	A〜D列が固定され、E列以降								170	18
8		5		谷口誠	177	182	182	182	がスクロールされる								182	16
9		6		川上恵	161	165	165	165	165	161	161	172	165	161	165	172	165	165	17
10		7		斉藤厚	159	172	172	172	172	159	159	155	172	159	172	172	155	172	15
11		8		水野翔太	157	155	155	155	155	157	157	167	155	157	155	155	167	155	16
12		9		森下弘樹	184	167	167	167	167	184	184	171	167	184	167	167	171	167	17
13		10		水野翔太	165	165	165	171	165	164	165	167	165	164	171	165	167	171	16

列を固定する場合も、freeze_panes属性を使います。

freeze_column.py
```
01  from openpyxl import load_workbook
02
03  wb = load_workbook("作業時間.xlsx")
04  ws = wb.active
```

141

```
05
06  ws.freeze_panes = "E1" ━━━━━━ ウィンドウ枠の固定(列)を行う
07
08  wb.save("作業時間_変更後.xlsx")
```

　A列以外の列で1行目のセル番地を指定すると、その列までを固定することができます。「E1」とすると、A～D列が固定され、E列以降がスクロール可能になります。

☑ ウィンドウ枠の固定(行・列)を行う方法

```
> python freeze_column_row.py ━━━━━━ プログラムを実行
```

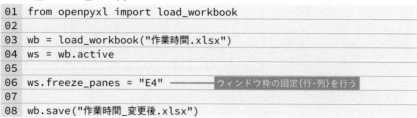

　行と列を固定する場合も、freeze_panes属性を使います。

freeze_column_row.py
```
01  from openpyxl import load_workbook
02
03  wb = load_workbook("作業時間.xlsx")
04  ws = wb.active
05
06  ws.freeze_panes = "E4" ━━━━━━ ウィンドウ枠の固定(行・列)を行う
07
08  wb.save("作業時間_変更後.xlsx")
```

　A列以外の列で2行目以降のセル番地を指定すると、その行・列までを固定することができます。「E4」とすると、1～3行とA～D列が固定され、4行、E列以降がスクロール可能になります。

035 相手に合わせて表示する 行・列を最適化する

　自分がExcelで作業するときは表全体が見えていたほうがいいですが、その資料を見る人にとって、不必要なデータが見えているのは好ましくありません。しかし、データとしては残して削除したくないときは、行や列をグループ化することがあります。グループ化とは、行や列を折りたたむ機能のことです。

	A	B	C	D	E	F	G	H	I	J	K	L	M	N	O	P	Q	R	S
1																			
2					2024年											2023年			
3		項番	形態	氏名	4月	5月	6月	7月	8月	9月	10月	11月	12月	1月	2月	3月	4月	5月	6月	7
4		1	正社員		2732	2694	2692	2685	2692	2692	2694	2692		2692	2714	2692	2685	2694	2732	2692	20
5		2		新井太郎	180	163	171	163	171	171	163	171		171	180	171	163	163	180	171	1
6		3		鈴木一	170	181	171	181	171	171	181	171		171	181	181	170	171	171		
7		4		田中さちえ	182	164	170	164	170	170	164	170		170	170	170	164	164	182	170	1
8		5		谷口誠	165	177	182	177	182	182	177	182		182	182	182	177	177	165	182	1
9		6		川上恵	172	161	165	161	165	165	161	165		165	165	165	161	161	172	165	1
10		7		斉藤厚	155	159	172	159	172	172	159	172		172	172	172	159	159	155	172	1
11		8		水野翔太	167	157	155	157	155	155	157	155		155	155	155	157	157	167	155	1
12		9		森下弘樹	171	184	167	184	167	167	184	167		167	167	184	184	171	167	1	

```
> python set_group.py ──────── プログラムを実行
```

D列、5〜20行目、22〜27行目、29〜30行目がグループ化された

	A	B	C	E	F	G	H	I	J	K	L		
1													
2				2024年								2023年	
3		項番	形態	4月	5月	6月	7月	8月	9月	10月	11月	12月	4月	5月	6月	7月	8月
4		1	正社員	2732	2694	2692	2685	2692	2692	2694	2692	2692	2714	2692	2685	2694	2732	2692	2685	271
21		18	派遣社員	1005	997	1031	982	1031	1031	997	1031	1031	1077	1031	982	997	1005	1031	982	107
28		25	アルバイト	341	351	322	338	322	322	351	322	322	368	322	338	351	341	322	338	36
31													
32													
33													
34													

行・列をグループ化する方法

　行のグループ化はWorksheetの row_dimensions.groupメソッドで行います。

```
ws.row_dimensions.group(開始行, 終了行,
                        outline_level=グループ化の階層,
                        hidden=折りたたむ場合はTrue)
```

1行のみ（たとえば5行目のみ）グループ化したい場合は、開始行に「5」を指定し、2行以上（たとえば5〜20行目）をグループ化したい場合は、開始行に「5」、終了行に「20」を指定します。終了行は省略可能です。グループの階層はoutline_level引数で指定し、グループによって折りたたまれた状態にする場合は、hidden引数をTrueにします。

また、列のグループ化は**Worksheetの column_dimensions.groupメソッド**で行います。

```
ws.column_dimensions.group(開始列, 終了列,
                           outline_level=グループ化の階層,
                           hidden=折りたたむ場合はTrue)
```

1列のみ（たとえばD列）グループ化したい場合は、開始列に「D」を指定し、2列以上（たとえばD〜F列）をグループ化したい場合は、開始列に「D」、終了列に「F」を指定します。終了列は省略可能です。

☑ 行・列をグループ化する

それではサンプルプログラムを見てみましょう。

set_group.py

```
01  from openpyxl import load_workbook
02
03  wb = load_workbook("作業時間.xlsx")
04  ws = wb.active
05  for row_no in [(5, 20), (22, 27), (29, 30)]:
06      ws.row_dimensions.group(*row_no, outline_level=1,
        hidden=True) ─── 行をグループ化
07                                            列をグループ化
08  ws.column_dimensions.group("D", outline_level=1, hidden=True)
09  wb.save("作業時間_変更後.xlsx")
```

先ほど解説したメソッドを使い、行と列のグループ化を行います。行のグループ化は、for文で繰り返し処理をしています。

◢ 引数のアンパック

　先ほどのプログラムの6行目で使用しているアスタリスク（*）は、**引数の アンパック**という文法です。聞きなれない人も多いと思うので、説明しておきましょう。

　引数のアンパックとは、**タプルやリストの要素を1つずつに分解して、複 数の変数に代入するしくみ**です。先ほどのプログラムでは、たとえば繰り返し1回目は次のように引数に値が設定されます。

> 繰り返し1回目では、row_noには(5, 20)が代入されている

```
ws.row_dimensions.group(5, 20, outline_level=1, hidden=True)
```

> (5, 20)が展開され、
> row_dimensions.groupの
> 第一引数に5、
> 第二引数に20が設定される。

　そのため繰り返し2回目では、(22, 27) がメソッドの第一引数と第二引数にそれぞれ展開され、繰り返し3回目では、(29, 30) がメソッドの第一引数と第二引数にそれぞれ展開されます。引数のアンパックを使うとプログラムがすっきりするので、記法を覚えておくとよいでしょう。また、アンパックは、P.277でも紹介しているので参考にしてください。

036 | 表の見出しをセル結合する

表の見出しをセル結合するサンプルプログラムです。セルの結合は多用しすぎると、あとで修正しにくくなる欠点もあります。しかし、表の見出しに複数列にまたがったグループの見出しを付けたいなど、使わなければならないシーンもあるでしょう。本サンプルプログラムでは、セルE2〜P2を結合することでグループの見出しを作成します。

	A	B	C	D	E	F	G	H	I	J	K	L	M	N	O	P	Q	R
1																		
2					2024年													
3		項番	形態	氏名	4月	5月	6月	7月	8月	9月	10月	11月	12月	1月	2月	3月		
4		1	正社員		2732	2694	2692	2685	2692	2692	2694	2692	2692				セルE2〜P2は結合	
5		2		新井太郎	180	163	171	163	171	171	163	171	171				されていない	
6		3		鈴木一	170	181	171	181	171	171	181	171	171					
7		4		田中さちえ	182	164	170	164	170	170	164	170	170	170	170	164		
8		5		谷口誠	165	177	182	177	182	182	177	182	182	182	182	177		
9		6		川上恵	172	161	165	161	165	165	161	165	165	165	165	161		
10		7		斉藤厚	155	159	172	159	172	172	159	172	172	172	172	159		
11		8		水野翔太	167	157	155	157	155	155	157	155	155	155	155	157		
12		9		森下弘樹	171	184	167	184	167	167	184	167	167	167	167	184		

> python merge_cell.py ─── プログラムを実行

	A	B	C	D	E	F	G	H	I	J	K	L	M	N	O	P	Q	R
1																		
2					2024年													
3		項番	形態	氏名	4月	5月	6月	7月	8月	9月	10月	11月	12月	1月	2月	3月		
4		1	正社員		2732	2694	2692	2685	2692	2692	2694	2692	2692	2714	2692	2685		
5		2		新井太郎	180	163	171	163	171	171	163	171	171	180	171	163		
6		3		鈴木一	170	181	171	181	171	171	181	171	171					
7		4		田中さちえ	182	164	170	164	170								セルE2〜P2が結合された。緑色で	
8		5		谷口誠	165	177	182	177	182								塗りつぶし、文字の配置が中央揃え	
9		6		川上恵	172	161	165	161	165								になった	
10		7		斉藤厚	155	159	172	159	172	172	159	172	172	172	172	159		
11		8		水野翔太	167	157	155	157	155	155	157	155	155	155	155	157		
12		9		森下弘樹	171	184	167	184	167	167	184	167	167	167	167	184		

🔲 セルを結合する方法

セルの結合はWorksheetのmerge_cellsメソッドで行います。

```
ws.merge_cells(start_row=行番号(開始),
               start_column=列番号(開始), end_row=行番号(終了),
               end_column=列番号(終了))
```

このメソッドで指定する列番号には、A、B、C……というアルファベットではなく、1、2、3……のように数値を指定します。

■ 表の見出しをセル結合する

それではサンプルプログラムを見てみましょう。

merge_cell.py

```
01  from openpyxl import load_workbook
02  from openpyxl.styles import Alignment, Border, PatternFill,
    Side
03
04  wb = load_workbook("作業時間.xlsx")
05  ws = wb.active
06  green_fill = PatternFill(fgColor="C6E0B4", fill_type="solid")
07  center_alignment = Alignment(horizontal="center")
08  black_thin = Side(color="000000", border_style="thin")
09  border = Border(left=black_thin, right=black_thin, top=black_
    thin, bottom=black_thin)
10
11  row_no = 2
12  start = 5
13  end = 16
14  ws.merge_cells(start_row=row_no, start_column=start, end_
    row=row_no, end_column=end)─────────────────  セルを結合
15  ws.cell(row_no, start).fill = green_fill ─────  塗りつぶし
16  ws.cell(row_no, start).alignment = center_alignment ─ 文字の配置
17
18  for column_no in range(start, end + 1):
19      ws.cell(row_no, column_no).border = border ─────  罫線
20
21  wb.save("作業時間_変更後.xlsx")
```

本章でこれまで紹介してきた罫線や塗りつぶしなどを、結合したセルに対して設定します。結合したセルに書式を設定するには、結合したセルのうち左上のセルに対してのみ行えばOKです。ただし罫線は、結合したセルすべてに対して設定します。

037 表を特定の位置へ移動する

Excelで表など複数のセルを移動するとき、マウスで選択してドラッグすることがあるでしょう。openpyxlでも、同様のことが可能です。表を決まった位置に移動したい場合などに使える機能です。

	A	B	C	D	E	F	G
1	データベース名	attendance					
2	テーブル名	user					
3	項番	項目	項目名	型	桁	PK	
4	1	id	ID	INT		○	
5	2	name	ユーザー名	VARCHAR	100		
6	3	busyo_code	部署コード	INT			
7	4	created_at	登録日	DATE			
8							
9							
10							

表（セルA3〜F7）があるブック

```
> python move_cell.py ——— プログラムを実行
```

	A	B	C	D	E	F	G
1	データベース名	attendance					
2	テーブル名	user					
3							
4							
5		項番	項目	項目名	型	桁	PK
6		1	id	ID	INT		○
7		2	name	ユーザー名	VARCHAR	100	
8		3	busyo_code	部署コード	INT		
9		4	created_at	登録日	DATE		
10							

表（セルA3〜F7）が2行下、1列右へ移動した

▨ セルを移動する方法

シート上で複数のセルをまとめて移動するには**Worksheet.move_range**メソッドを用います。

```
ws.move_range(移動するセルの範囲, rows=移動する行数,
              cols=移動する列数)
```

rows引数とcols引数にはそれぞれ、移動する行数と列数を記述します。た
とえば、1行下へ移動したいときは「1」、1行上へ移動したいときは「-1」を
rows引数に指定します。このように、rows引数とcols引数には負の値も指
定可能です。また、rows引数とcols引数に範囲外の値（たとえば、3行目か
ら始まる表なのに、rows引数が-10）を指定した場合は、エラーになります。
また、move_rangeメソッドは、移動先の位置にすでに値や表があっても、
警告やエラーは発生せずにセルを上書きするため、注意しましょう。

■ 表を特定の位置へ移動する

それではサンプルプログラムを見てみましょう。

move_cell.py

```
01  from openpyxl import load_workbook
02
03  wb = load_workbook("Table定義書.xlsx")
04  ws = wb.active
05
06  ws.move_range("A3:F7", rows=2, cols=1)  ——— 2行下、1列右へ移動
07
08  wb.save("Table定義書_変更後.xlsx")
```

move_rangeメソッドを用いて、表を移動しています。このmove_rangeメ
ソッドを、ブックの全シートに対して繰り返し行うようにすると、すべての
シートで表の位置を揃えることもできます。

ここもポイント | 数式を含むセルを移動する

数式が設定されているセルをmove_rangeメソッドで移動する場合は、1点注意が必
要です。move_rangeメソッドは、デフォルトでは、セルの移動に伴った数式の更新
は行いません。移動に伴って数式のセル参照を更新したい場合は、translate引数に
Trueを指定します。

```
ws.move_range("A6", rows=2, cols=1, translate=True)
```

translate引数をTrueにしておくと、たとえば数式「=SUM(A1:A5)」が設定されてい
るセルを、2行下、1列右へ移動した場合に「=SUM(B3:B7)」という数式に更新さ
れます。

○38 集計しやすい表を作成する

　これまで、表の書式を個別に整える方法を紹介してきました。しかし、行や列を頻繁に追加する表であれば、Excelの「テーブル」機能で書式をまとめて設定すると便利です。「テーブル」を設定しておくと、列を追加したときも、フィルターやデザインが自動で適用され、集計もしやすくなります。ここでは、あるセル範囲（セルB2～F12）に対して、テーブルを設定するサンプルプログラムを紹介します。

	A	B	C	D	E	F	G	H	I	J
1										
2		項番	日付	総売上（税抜）	総売上（税込）	来店人数	セルB2～F12にデータが			
3		1	2024/4/1	180000	198000	198	入力されている			
4		2	2024/4/2	220000	242000	242				
5		3	2024/4/3	280000	308000	308				
6		4	2024/4/4	176500	194150	193				
7		5	2024/4/5	180300	198330	198				
8		6	2024/4/6	220000	242000	242				
9		7	2024/4/7	280000	308000	308				
10		8	2024/4/8	198000	217800	217				
11		9	2024/4/9	174000	191400	191				
12		10	2024/4/10	220000	242000	242				
13										

```
> python set_table.py        プログラムを実行
```

	A	B	C	D	E	F	G	H	I	J
1										
2		項番 ▼	日付 ▼	総売上（税抜）▼	総売上（税込）▼	来店人数 ▼	セルB2～F12が			
3		1	2024/4/1	180000	198000	198	テーブルになった			
4		2	2024/4/2	220000	242000	242				
5		3	2024/4/3	280000	308000	308	テーブルのスタイルは			
6		4	2024/4/4	176500	194150	193	「テーブルスタイル（中			
7		5	2024/4/5	180300	198330	198	間）9」となり、表全体			
8		6	2024/4/6	220000	242000	242	が青色になった			
9		7	2024/4/7	280000	308000	308				
10		8	2024/4/8	198000	217800	217				
11		9	2024/4/9	174000	191400	191				
12		10	2024/4/10	220000	242000	242				
13										

◤ テーブルにする方法

テーブルの作成は**Tableオブジェクト**で行います。

```
table = Table(displayName=テーブル名, ref=設定するセル範囲)
```

displayName引数は、テーブル名を記述します。テーブル名は外部の数式から参照する際に使う名前なので、自由に付けてかまいません。ただし、名前はブック内で重複しないものにする必要があります。ref引数にはテーブルにしたいセル範囲を記述します。

テーブルには、Excelですでに用意されたスタイルを設定できます。テーブルのスタイルは**TableStyleInfoオブジェクト**で指定します。

```
table_style = TableStyleInfo(name=テーブルスタイル名)
```

name引数には、用意されたテーブルスタイル名を記述します。たとえば、name引数にTableStyleLight9を記述すると「テーブルスタイル（淡色）9」、TableStyleDark9を記述すると「テーブルスタイル（濃色）9」というテーブルスタイルが設定されます。機能的な違いはないので、好みで選んでかまいません。

テーブルスタイル（淡色）9

表の見出しが薄い青色、表は塗りつぶしなしのスタイル

テーブルスタイル（濃色）9

表の見出しがオレンジ色、表が青色で塗りつぶされたスタイル

またTableStyleInfoには、行と列の色を変更する引数もあります。

引数	説明
showRowStripes	Trueにすると、行の色が縞模様で表示される
showColumnStripes	Trueにすると、列の色が縞模様で表示される
showFirstColumn	Trueにすると最初の列に色が付く
showLastColumn	Trueにすると最後の列に色が付く

　Table.tableStyleInfo属性に、作成したTableStyleInfoオブジェクトを代入すると、そのテーブルスタイルがテーブルに設定されます。

```
table.tableStyleInfo = table_style
```

　最後に、Worksheetのadd_tableメソッドを呼び出して、そのシートにテーブルを追加します。

```
ws.add_table(table)
```

◪ 集計しやすい表を作成する

　それではサンプルプログラムを見てみましょう。

set_table.py

```
01  from openpyxl import load_workbook
02  from openpyxl.worksheet.table import Table, TableStyleInfo
03
04  wb = load_workbook("売上実績.xlsx")
05  ws = wb.active
06
07  table = Table(displayName="Table1", ref="B2:F12")   ─ テーブルを生成
08  table_style = TableStyleInfo(name="TableStyleMedium9",
    showRowStripes=True)
09
10  table.tableStyleInfo = table_style   ─ テーブルスタイルを設定
11  ws.add_table(table)                  ─ シートにテーブルを追加
12
13  wb.save("売上実績_変更後.xlsx")
```

　先ほど解説したオブジェクトを用いてテーブルを作成し、シートにテーブルを追加します。showRowStripes引数をTrueにしたので、行の色が縞模様で表示されます。

グラフでデータを
可視化する

039 | CSVファイルを読み込んで グラフを作成する

本章では、CSVファイルをExcelに読み込んで、グラフを作成する方法を解説していきます。CSVファイルとは、カンマ区切りのテキストデータのことです。Webサイトからデータをダウンロードするときや、システム間でデータをやりとりするときなど、さまざまなシーンでよく使われるデータ形式です。

たとえば、社内システムから対象のデータをCSVファイルでダウンロードし、Excelに貼り付けてグラフを作成する、という作業を毎月行うといったケースがあるのではないでしょうか。このように、毎回同じようにグラフを作成しているのであれば、プログラムで実現してしまうのが楽でしょう。

PythonでCSVファイルを扱うには、**pandas**というデータ解析用のライブラリが便利です。グラフを作成する前に、ターミナルで次のコマンドを入力し、インストールしておきましょう。

```
> pip install pandas
```

本セクションでは、最も基本的なグラフである「棒グラフ」を作成する方法を紹介します。サンプルプログラムでExcelに取り込むCSVファイルは、部門別の売上高のデータを持ち、ファイル名はuriage.csvとします。本書で扱うCSVファイルの文字コードはUTF-8なので、開く際はVS Codeなどのエディターを使用してください。

uriage.csv

```
01  部門,当期売上,前期売上
02  家具,625,700
03  衣類,4015,3800
04  服飾雑貨,2890,2670
05  キッチン,1413,1200
06  文房具,820,860
07  ライセンス,600,560
```

```
> python uriage_barchart.py ——— プログラムを実行
```

プログラムを実行すると、縦軸を「当期売上」、横軸を「部門」にした棒

グラフが作成されます。

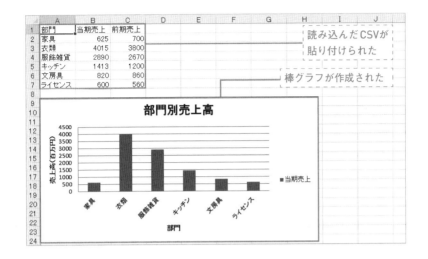

CSVファイルを読み込む方法

まずは、CSVファイルを読み込む方法を紹介します。CSVファイルは pandasの**read_csvメソッド**で読み込みます。

```
pd.read_csv(ファイル名, encoding=読み取り時に使用する文字コード)
```

pandasで読み込んだCSVファイルは、pandasで用意されている**DataFrame**というオブジェクトになります。このDataFrameには、計算や集計などを行うさまざまな機能が用意されていますが、詳細はChapter 6で紹介します。ここではDataFrameオブジェクトになることを押さえておけば大丈夫です。

次にこのDataFrameオブジェクトに、openpyxlで用意されている**dataframe_to_rows関数**を用いることで、データを1行ずつ取得することができます。

```
dataframe_to_rows(DataFrameオブジェクト, index=None,
header=True)
```

読み込んだ行をExcelのシートに貼り付けるには、**Worksheet.appendメソッド**を使います。

```
ws.append(リストや辞書)
```

　appendメソッドは、シートに行単位で値を設定できます。セルを1つずつ取得して設定する必要がなく、便利なメソッドです。グラフを作成する場合に限らず、行単位でデータを追加したいときはappendメソッドの使用を検討するとよいでしょう。

◢ 棒グラフを作成する方法

　次は、棒グラフを作成する方法を紹介します。openpyxlでは、棒グラフや円グラフなど、グラフの種類によって使うオブジェクトが異なります。棒グラフの場合は、**BarChartオブジェクト**です。

　Excel上でグラフを作成するときは、セルを選択してグラフのデータにします。openpyxlではデータの範囲を**Referenceオブジェクト**で指定します。

```
Reference(Worksheetオブジェクト,
          min_col=最小の列番号, min_row=最小の行番号,
          max_col=最大の列番号, max_row=最大の行番号)
```

　max_col引数、max_row引数を省略した場合、それぞれmin_col引数、min_row引数と同じ値になります。グラフにするデータの範囲を指定したら、BarChartオブジェクトのadd_dataメソッドで、そのグラフにデータを追加します。

```
bar.add_data(Referenceオブジェクト,
titles_from_data=データの1行目を凡例項目にする場合はTrue)
```

　初期状態では横軸のラベルは「1、2、3……」という連番が表示されるので、set_categoriesメソッドでラベルの元データになる範囲を指定します。set_categoriesというメソッドを呼び出すと、横軸のラベルを設定できます。

```
bar.set_categories(Referenceオブジェクト)
```

　ここまでで、グラフの設定は完了です。最後に**Worksheet.add_chartメソッド**で、シートにそのグラフを追加します。

```
ws.add_chart(BarChartオブジェクト, グラフを追加するセル番地)
```

☑ 棒グラフを作成する

それではサンプルプログラムを見てみましょう。

uriage_barchart.py

```
01  import pandas as pd
02  from openpyxl import Workbook
03  from openpyxl.chart import BarChart, Reference
04  from openpyxl.utils.dataframe import dataframe_to_rows
05
06  wb = Workbook()
07  ws = wb.active                                      ← CSVファイルを読み込む
08  df = pd.read_csv("uriage.csv", encoding="utf-8")
09  for row in dataframe_to_rows(df, index=None, header=True):
10      ws.append(row) ————— データを1行ずつ追加
11
12  bar = BarChart() ————— 棒グラフ
13  bar.type = "col" ————— 縦の棒グラフ
14  data = Reference(ws, min_col=2, min_row=1, max_row=ws.max_row)
15  labels = Reference(ws, min_col=1, min_row=2, max_row=ws.max_row)
16  bar.add_data(data, titles_from_data=True) ——— グラフにデータを追加
17  bar.set_categories(labels) ————— 横軸のラベルを設定
18  bar.x_axis.title = "部門" ————— 横軸のタイトル
19  bar.y_axis.title = "売上高(百万円)" — 縦軸のタイトル
20  bar.title = "部門別売上高" ————— グラフのタイトル
21
22  ws.add_chart(bar, "A9") ————— 棒グラフをシートに追加
23  wb.save("部門別売上高.xlsx")
```

uriage.csvを読み込み、先ほど解説したメソッドを用いて棒グラフを作成します。プログラムを実行したあとにExcelでグラフを右クリックして、[データの選択]をクリックしたら表示される画面で確認すると、グラフのデータソースに以下が選択されたことがわかります。

グラフの体裁を整えて見やすくする

次は、先ほどの棒グラフの見た目を変更してみましょう。グラフには、体裁に関わる属性がたくさん用意されています。作成したグラフを顧客に提出したり、会議の資料に使ったりするときは、グラフの見た目にこだわりたい場合が多いでしょう。ここでは、Excelに取り込むCSVファイルは先ほどと同じuriage.csvとし、横棒のグラフにするサンプルプログラムを紹介します。

```
> python style_barchart.py ──────── プログラムを実行
```

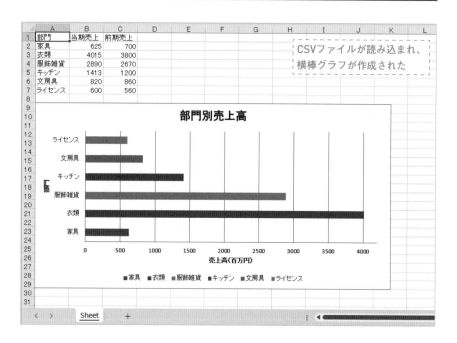

CSVファイルが読み込まれ、横棒グラフが作成された

グラフの体裁を整える方法

グラフによって、設定可能な属性は異なります。ここでは、棒グラフ（BarChartオブジェクト）で使用できる属性について、次にまとめます。

属性	説明
type	縦の棒グラフは"col"、横の棒グラフは"bar"
x_axis.scaling.min	横軸の最小値
x_axis.scaling.max	横軸の最大値
y_axis.scaling.min	縦軸の最小値
y_axis.scaling.max	縦軸の最大値
width	グラフの幅
height	グラフの高さ
varyColors	系列ごとにグラフの色を変更する場合はTrue
legend.position	凡例項目の位置。右は"r"、左は"l"、上は"t"、下は"b"

■ 横棒グラフを作成する

それではサンプルプログラムを見てみましょう。

style_barchart.py

```
01  import pandas as pd
02  from openpyxl import Workbook
03  from openpyxl.chart import BarChart, Reference
04  from openpyxl.utils.dataframe import dataframe_to_rows
05
06  wb = Workbook()
07  ws = wb.active
08
09  df = pd.read_csv("uriage.csv", encoding="utf-8")
10  for row in dataframe_to_rows(df, index=None, header=True):
11      ws.append(row)
12
13  bar = BarChart()          棒グラフ
14  bar.type = "bar"          横棒グラフに変更
15  data = Reference(ws, min_col=2, min_row=2, max_row=ws.max_row)
16  labels = Reference(ws, min_col=1, min_row=2, max_row=ws.max_
    row)
17
18  bar.add_data(data)
19  bar.set_categories(labels)
20
21  bar.y_axis.scaling.min = 0        縦軸の最小値
22  bar.y_axis.scaling.max = 4200     縦軸の最大値
23
24  bar.width = 20            グラフの幅
25  bar.height = 10           グラフの高さ
26  bar.varyColors = True     系列ごとにグラフの色を変更
```

```
27  bar.legend.position = "b" ────── 凡例項目の位置
28
29  bar.x_axis.title = "部門"
30  bar.y_axis.title = "売上高(百万円)"
31  bar.title = "部門別売上高"
32
33  ws.add_chart(bar, "A9")
34  wb.save("部門別売上高.xlsx")
```

先ほど解説した属性を使い、グラフの見た目を変更しました。BarChartオブジェクトのtype属性を"bar"にすることで、横棒グラフにしています。

1点注意したいポイントは、横棒グラフにしても、add_dataメソッドで追加したデータが「縦軸」の扱いになることです。そのため、グラフの見た目上は「売上高」が横軸になっていますが、「売上高」についての属性は、縦軸を表す「y_axis.scaling.min」と「y_axis.scaling.max」を用います。要するに横棒グラフは、縦棒グラフを90度横に倒したものと捉えるとよいでしょう。

また、横軸のラベルを設定するset_categoriesメソッドについても、注意したいポイントがあります。set_categoriesメソッドは、add_dataメソッドでデータを追加したあとに呼び出さないと、うまくラベルが反映されません。使用の際は注意しましょう。

041 目的にあったグラフを作成する

　グラフは、データや見たい項目、目的に合わせて、種類を使い分けることが重要です。openpyxlでは、ここまで紹介した棒グラフ以外にも、さまざまなグラフを扱うことができます。ここでは、積み上げ棒グラフ、円グラフ、折れ線グラフを解説しましょう。グラフの種類によって使用するオブジェクトや設定できる属性は異なります。しかし、作成する要領はどれも似ているので、1つマスターすればさまざまなグラフを作成できるようになるでしょう。

4

グラフでデータを可視化する

積み上げ棒グラフ

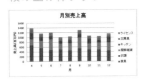

円グラフ

折れ線グラフ

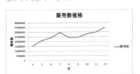

積み上げ棒グラフを作成する方法

　「積み上げ棒グラフ」を作成する方法を紹介します。本サンプルプログラムでExcelに取り込むCSVファイルは、月別かつ部門別の売上高データを持ち、ファイル名はuriage_month.csvとします。

uriage_month.csv

```
01  月,家具,衣類,服飾雑貨,キッチン,文房具,ライセンス
02  4,80,600,250,250,130,70
03  5,60,500,300,150,90,65
04  6,75,400,450,125,80,70
05  7,60,435,250,110,90,65
06  8,55,400,300,130,90,60
07  9,70,480,450,125,110,70
08  10,70,420,250,200,68,60
09  11,87,400,300,98,100,60
10  12,68,380,340,225,62,80
```

```
> python uriage_month_barchart.py ─────── プログラムを実行
```

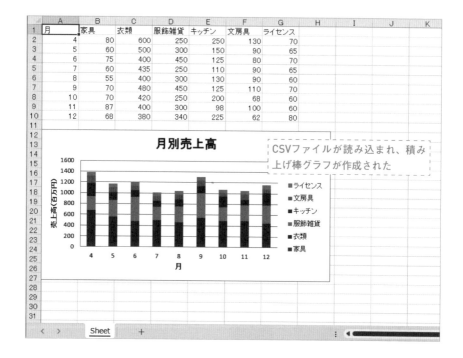

積み上げ棒グラフを作成する方法は、基本的には棒グラフと同じです。
BarChartオブジェクトのgrouping属性を"stacked"、overlap属性を100にすれば、積み上げ棒グラフになります。

```
bar.grouping = "stacked"
bar.overlap = 100
```

それではサンプルプログラムを見てみましょう。

uriage_month_barchart.py

```
01  import pandas as pd
02  from openpyxl import Workbook
03  from openpyxl.chart import BarChart, Reference
04  from openpyxl.utils.dataframe import dataframe_to_rows
05
06  wb = Workbook()
07  ws = wb.active
08
09  df = pd.read_csv("uriage_month.csv", encoding="utf-8")
10  for row in dataframe_to_rows(df, index=None, header=True):
11      ws.append(row)
```

```
12
13  bar = BarChart()
14  bar.type = "col"                    縦棒に変更
15  bar.grouping = "stacked"            積み上げ棒グラフに変更
16  bar.overlap = 100                   積み上げ棒グラフに変更
17
18  data = Reference(ws, min_col=2, min_row=1, max_col=7, max_
    row=ws.max_row)
19  labels = Reference(ws, min_col=1, min_row=2, max_row=ws.max_
    row)
20
21  bar.add_data(data, titles_from_data=True)
22  bar.set_categories(labels)
23
24  bar.varyColors = True
25  bar.x_axis.title = "月"
26  bar.y_axis.title = "売上高(百万円)"
27  bar.title = "月別売上高"
28
29  ws.add_chart(bar, "A12")
30  wb.save("月別売上高.xlsx")
```

grouping属性を"stacked"、overlap属性を100にすることで、積み上げ棒グラフを作成しています。棒グラフは、ある1つの系列についてデータを比較するのに適していますが、今回のように、2つの系列(ここでは、「月」と「部門」)におけるデータの割合を確認したい場合は、積み上げ棒グラフのほうが適しています。

◨ 円グラフを作成する方法

「円グラフ」を作成する方法を紹介します。本サンプルプログラムでExcelに取り込むCSVファイルは、部門別の売上高データを持ち、ファイル名はuriage.csvとします。

uriage.csv
```
01  部門,当期売上,前期売上
02  家具,625,700
03  衣類,4015,3800
04  服飾雑貨,2890,2670
05  キッチン,1413,1200
06  文房具,820,860
07  ライセンス,600,560
```

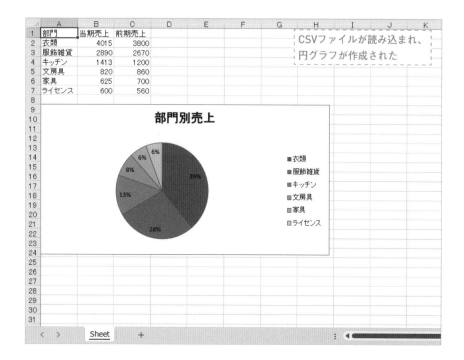

円グラフを作成するには、**PieChartオブジェクト**を使用します。グラフの作成方法は、基本的には棒グラフと同じですが、2つポイントがあります。

1つ目は、円グラフに表示するデータの順番です。円グラフは、選択したデータの並び順で表示されるため、占める割合が小さいデータが先頭に表示されてしまう場合があります。しかし円グラフは、割合が大きいデータから順に表示したい場合が多いでしょう。そのためには、Excelにデータを貼り付けする前に、データをソートしておきましょう。pandasの **DataFrame. sort_valuesメソッド**を使うと、読み込んだデータを任意の項目でソートできます。

```
DataFrame.sort_values(by=ソートする項目,
ascending=昇順の場合はTrueで降順の場合はFalse)
```

2つ目は、デフォルトでは各データの割合が表示されない点です。円グラフは割合を確認するのに適したグラフなので、各項目が何パーセントであるのかを表示したい場合が多いでしょう。表示するには、PieChartオブジェク

トに紐付く、DataLabelList.showPercent属性をTrueにします。

```
pie.dataLabels = DataLabelList()
pie.dataLabels.showPercent = True
```

それではサンプルプログラムを見てみましょう。

uriage_piechart.py

```
01  import pandas as pd
02  from openpyxl import Workbook
03  from openpyxl.chart import PieChart, Reference
04  from openpyxl.chart.label import DataLabelList
05  from openpyxl.utils.dataframe import dataframe_to_rows
06
07  wb = Workbook()
08  ws = wb.active
09
10  df = pd.read_csv("uriage.csv", encoding="utf-8")
11  df = df.sort_values(by="当期売上", ascending=False) ── データをソート
12  for row in dataframe_to_rows(df, index=None, header=True):
13      ws.append(row)
14
15  pie = PieChart() ── 円グラフ
16  pie.style = 37 ── グラフを緑色に変更
17  data = Reference(ws, min_col=2, min_row=2, max_row=ws.max_row)
18  labels = Reference(ws, min_col=1, min_row=2, max_row=ws.max_row)
19
20  pie.add_data(data)
21  pie.set_categories(labels)
22
23  pie.dataLabels = DataLabelList()
24  pie.dataLabels.showPercent = True ── 割合をパーセントで表示
25  pie.title = "部門別売上"
26
27  ws.add_chart(pie, "A9")
28  wb.save("部門別売上.xlsx")
```

　pandasでCSVファイルを読み込んだあとに、sort_valuesメソッドでデータをソートしています。ここでは、「当期売上」列の降順にソートすることで、円グラフで「当期売上」の値が大きいものから順に表示されるようになります。

　そして、showPercent属性をTrueにすることで、各データのパーセントを表示しています。先ほどの円グラフでいうと、「衣類」が39%、「服飾雑貨」

が28%、と表示されています。

☑ 折れ線グラフを作成する方法

最後に、「折れ線グラフ」を作成する方法を紹介します。本サンプルプログラムでExcelに取り込むCSVファイルは、月別の販売数データを持ち、ファイル名はhanbai.csvとします。

hanbai.csv

01	月,販売数
02	4,1500
03	5,2100
04	6,2400
05	7,2950
06	8,2450
07	9,2450
08	102800
09	11,3000
10	12,3500

```
> python hanbai_linechart.py ——— プログラムを実行
```

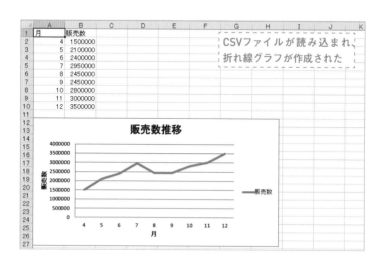

折れ線グラフは時系列で推移を表すのに適しています。ここでは「月ごとの販売数」を折れ線グラフにします。折れ線グラフを作成するには、

LineChartオブジェクトを使用します。折れ線グラフの場合も、基本的には、棒グラフや円グラフと作成方法は同じです。ただ、それだけではつまらないため、CSVファイルから読み込んだデータを少し加工してみます。

このCSVファイルのデータは、「販売数」の単位が「千個」となっています。この「販売数」を元の値にするため、1000を掛けてからExcelに読み込むようにします。ある列に対して任意の計算をするには、pandasのDataFrameの機能を用います。DataFrameは列名を指定すると、その列名のデータを取得できます。

```
DataFrame[列名]
```

その列のデータに対して、「DataFrame [列名] *= 1000」のように演算子を用いることで、計算が可能です。このようにCSVファイルのデータは、単位が「千」や「百万」といった単位になっていることがよくあるので、必要に応じて値を補正してみましょう。

それではサンプルプログラムを見てみましょう。

hanbai_linechart.py

```
01  import pandas as pd
02  from openpyxl import Workbook
03  from openpyxl.chart import LineChart, Reference
04  from openpyxl.utils.dataframe import dataframe_to_rows
05
06  wb = Workbook()
07  ws = wb.active
08
09  df = pd.read_csv("hanbai.csv", encoding="utf-8")
10  df["販売数"] *= 1000 ————— 1000を掛ける
11  for row in dataframe_to_rows(df, index=None, header=True):
12      ws.append(row)
13
14  line = LineChart() ————— 折れ線グラフ
15  line.style = 13
16  data = Reference(ws, min_col=2, min_row=1, max_row=ws.max_row)
17  labels = Reference(ws, min_col=1, min_row=2, max_row=ws.max_row)
18
19  line.add_data(data, titles_from_data=True)
20  line.set_categories(labels)
21
22  line.x_axis.title = "月"
23  line.y_axis.title = "販売数"
```

```
24  line.title = "販売数推移"
25
26  ws.add_chart(line, "A12")
27  wb.save("販売数.xlsx")
```

　pandasでCSVファイルを読み込んだあとに、「df ["販売数"] *= 1000」と記述することで、「販売数」列に対して計算をしています。そのため、グラフには1000を掛けたあとのデータが表示されています。あとは、ほかのグラフと同じ要領で、グラフを作成すればOKです。

　ここまでグラフの作成方法を見てきましたが、openpyxlで扱えるグラフはほかにもあります。扱えるグラフの種類について、以下にまとめます。自分の目的やデータの特徴に合わせたグラフを選んでください。

オブジェクト	グラフの種類
BarChart	棒グラフ
PieChart	円グラフ
LineChart	折れ線グラフ
AreaChart	面グラフ
BarChart3D	3D棒グラフ
RadarChart	レーダーチャート
BubbleChart	バブルチャート
DoughnutChart	ドーナツチャート

ここもポイント ┃ グラフのスタイルを変えるには？

グラフのスタイルを変更するには、style属性に、1〜48の整数値を指定します。たとえば「uriage_piechart.py」と「hanbai_linechart.py」では、それぞれ「pie.style = 37」、「line.style = 13」と記述しています。ただし、どの数値がどのスタイルを表すのかは公式ドキュメントに記載がありません。そのため数値を変更していき、設定したいスタイルになるかどうかを試す必要があります。
また、style属性に1〜48の整数以外の値を指定すると、プログラム実行時にエラーが発生するので注意しましょう。

Pythonによる
Excel操作の応用

042 | 納品するブックの体裁を一度に整える

　本章では、今まで紹介したopenpyxlの基本的な機能に加えて、ほかのメソッドや属性を組み合わせて、より業務に活かせるサンプルプログラムを紹介していきます。Excelの使い方は企業や業務内容によってさまざまなため、すべてそのまま使えるわけではありません。しかし、メソッドの使い方や機能の組み合わせ方は参考になるはずです。

　本セクションではまず、ブックの体裁を整える方法を紹介します。Excelで作成した資料は、上司に提出したり顧客に納品したりする前に、シートの体裁や印刷設定などを整えることがよくあります。その場合、ブックやシートがたくさんあると、1つずつ開いて修正するのは手間がかかりますね。こういった単純作業は自動化してしまいましょう。サンプルプログラムとしては、シートの体裁を整えるものと、印刷設定を整えるものの2つを紹介します。

▨ アクティブセルをA1にし、表示倍率を100%にする方法

	A	B	C	D	E	F
1				アクティブセルがC4で、		
2		部署名	営業二課	表示倍率が150%である		
3		氏名	田中まさみ			
4						
5		項番	チェック項目	チェック	備考	
6		1	スクリーンセーバーを5分以下で設定している	OK		
7		2	ウィルス対策ソフトをインストールしている	OK		
8		3	定期的なウィルススキャンを設定している	OK		
9		4	最新のセキュリティパッチを適用している	OK		
10		5	パソコンは帰宅時にロッカーにしまっている	NG		
11		6	離席時にパソコンの画面をロックしている	OK		
12		7	重要書類はシュレッダーで廃棄する	OK		
13		8	重要書類はファイルサーバーで管理する	OK		
14		9	ローカルへのファイル保存は必要最低限にしている	OK		
15		10	入館証にストラップをつけている	OK		
16		11	緊急連絡先を把握している	OK		
17		12	緊急時のフローを把握している	OK		
18		13	二段階認証を導入している			

準備完了　アクセシビリティ: 問題ありません　　　　　　　　　150%

```
> python format_sheet.py        プログラムを実行
```

アクティブセルがA1、表示
倍率が100%になった

作業していると、シートごとにアクティブなセル（ブックをExcelで開いたときに選択されているセル）や表示倍率がバラバラになりがちです。しかし、その資料を初めて見る人にとっては、アクティブセルはA1、表示倍率は100%になっているほうが見やすいですね。プログラムで、アクティブセルと表示倍率を整えてしまいましょう。アクティブセルはactiveCell属性、表示倍率はzoomScale属性によって変更ができます。公式ドキュメントには記載されていない方法なので、将来使用できなくなる可能性もあります。使用する際はその点を認識しておきましょう。

それではサンプルプログラムを見てみましょう。

format_sheet.py

```python
01  from openpyxl import load_workbook
02
03  cell_no = "A1"
04  zoom_scale = 100
05  wb = load_workbook("チェックリスト.xlsx")
06
07  for ws in wb.worksheets:        全シートを取得
```

171

```
08      sv = ws.sheet_view
09      sv.selection[0].activeCell = cell_no ──── アクティブセルをA1に設定
10      sv.selection[0].sqref = cell_no
11      sv.selection[0].activeCellId = None
12      sv.zoomScale = zoom_scale ──────── 表示倍率を100%に設定
13      sv.zoomScaleNormal = zoom_scale
14  wb.save("チェックリスト_変更後.xlsx")
```

全シートの体裁を整えたいので、Workbook.worksheets属性で全シートを取得し、繰り返し処理を行います。アクティブセルは、activeCell属性を設定するのと同時にsqref属性とactiveCellId属性も設定します。表示倍率も同様で、zoomScale属性を設定するのと同時に、zoomScaleNormal属性も設定します。これらは、ブック内の情報の整合性を保つために必要です。

◤ 印刷設定を行う方法

デフォルトの印刷設定の状態

```
> python print_setting.py ──────── プログラムを実行
```

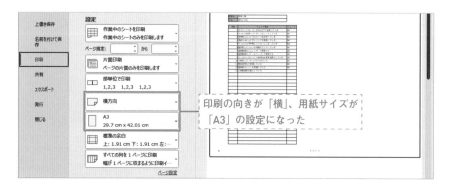

印刷の向きが「横」、用紙サイズが「A3」の設定になった

172

Excelで作成した資料は、印刷して会議に使うことがあります。また、資料を提出した相手が、印刷して紙面上で内容をチェックするケースもあるでしょう。その場合は、事前に印刷設定をしてから相手に提出すると親切です。プログラムで、印刷範囲やヘッダー、フッターなどの印刷設定も整えましょう。印刷の設定を行う属性はたくさんあるので、以下にまとめます。

属性	説明
print_area	印刷範囲
print_title_cols	印刷時にシートが複数ページにまたがった場合、常に印刷する列
print_title_rows	印刷時にシートが複数ページにまたがった場合、常に印刷する行
oddHeader.center.text	ヘッダー（中央部）
oddFooter.center.text	フッター（中央部）
page_setup.orientation	印刷の向き。縦ならORIENTATION_PORTRAIT、横ならORIENTATION_LANDSCAPEを代入する
page_setup.fitToWidth	ページ数に合わせて印刷する設定（横）。1ページなら1、自動なら0を代入する
page_setup.fitToHeight	ページ数に合わせて印刷する設定（縦）。1ページなら1、自動なら0を代入する
sheet_properties.pageSetUpPr.fitToPage	fitToWidth属性とfitToHeight属性を有効にする設定
page_setup.paperSize	用紙サイズ

　それではサンプルプログラムを見てみましょう。

print_setting.py

```
01  from openpyxl import load_workbook
02
03  print_area = "A1:D50"
04  print_title_rows = "1:5"
05  header_text = "&F"
06  footer_text = "&P / &Nページ"
07
08  wb = load_workbook("チェックリスト.xlsx")
09  for ws in wb.worksheets:
10      ws.print_area = print_area          ──── 印刷範囲
11      ws.print_title_rows = print_title_rows
                                            ──── 常に印刷する行（タイトル行）
12      ws.oddHeader.center.text = header_text  ──── ヘッダー
13      ws.oddFooter.center.text = footer_text  ──── フッター
14
```

```
15    wps = ws.page_setup
16    wps.orientation = ws.ORIENTATION_LANDSCAPE ─── 印刷の向き
17    wps.fitToWidth = 1 ─────── 横を1ページ
18    wps.fitToHeight = 0 ─────── 縦を自動
19    ws.sheet_properties.pageSetUpPr.fitToPage = True
                                              fitTo属性を有効にする設定
20    wps.paperSize = ws.PAPERSIZE_A3 ─────── 用紙サイズ
21
22  wb.save("チェックリスト_変更後.xlsx")
```

　アクティブセルを整えるときと同様に、worksheets属性で全シートを取得し、繰り返し処理を行います。ヘッダーにはブック名を表す"&F"、フッターにはページ番号の"&P"、総ページ数の"&N"を設定します。そのあと、印刷の向きやサイズを設定しています。

　ページ数に合わせて印刷する設定を行う、page_setup.fitToWidth属性とpage_setup.fitToHeight属性を使用する場合は、sheet_properties.pageSetUpPr.fitToPage属性をTrueにしないと、有効にならないので注意してください。

　プログラムを実行したあとにExcelの［ページレイアウト］タブをクリックし、［印刷タイトル］をクリックして確認すると、次のページ設定が適用されたことがわかります。

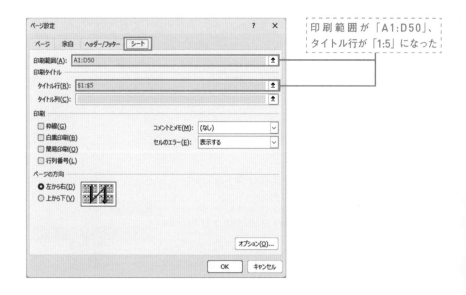

印刷範囲が「A1:D50」、タイトル行が「1:5」になった

174

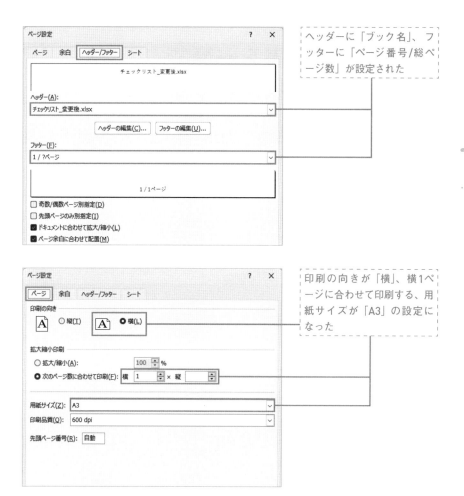

ヘッダーに「ブック名」、フッターに「ページ番号/総ページ数」が設定された

印刷の向きが「横」、横1ページに合わせて印刷する、用紙サイズが「A3」の設定になった

ヘッダーとフッターに設定できる書式

　ヘッダーやフッターにブック名やページ番号を含めるには、Microsoft社が定めた書式コードを使った文字列を指定します。書式コードについては以下を参照してください。

- **Microsoft社公式ドキュメント**

  https://learn.microsoft.com/ja-jp/office/vba/excel/concepts/workbooks-and-worksheets/formatting-and-vba-codes-for-headers-and-footers

043 申請書を一発で初期状態にする

　申請書や納品書といった事務的な書類を、Excelで作成しているケースはよくあります。その資料を作成するたびに、前回作成したブックをコピーして前回の入力内容を消して……といったことを行っていませんか？　このような、入力内容を消して初期状態にする作業は、それぞれは大した手間ではありません。しかし、違うセルを削除してしまうといったミスもありうるため、プログラムで確実に行うことをおすすめします。本サンプルプログラムでは、申請書ブックのセルC4〜C6に部署名、氏名、申請日を初期値として入力し、セルB11以降の入力内容を削除します。

	A	B	C	D	E	F	G	H
1								
2			備品購入申請書					
3								
4		部署名	営業部第二課					
5		申請者名	鈴木太郎					
6		申請日	2024年3月15日					
7								
8								
9								
10			品名			個数	単価	
11		ノートパソコン				1	123,000	
12		セキュリティソフト				2	8,300	
13								
14								

セルC4〜C6、セルB11以降に値が入力されている

```
> python initialize_sheet.py
```
プログラムを実行

	A	B	C	D	E	F	G	H
1								
2			備品購入申請書					
3								
4		部署名	営業部一課					
5		申請者名	佐藤花子					
6		申請日	2024年4月24日					
7								
8								
9								
10			品名			個数	単価	
11								
12								
13								
14								

セルC4〜C6には初期値が設定され、セルB11以降の入力内容が削除された

日付を代入する方法

　初期値を代入するのは、今まで通り、セルを取得して値を書き込んでいけばOKです。ただし、今回のように日付を代入する場合、P.72でも紹介した、datetimeモジュールを使います。datetimeには、日時に対するあらゆる操作や機能が用意されています。当日日付をセルに代入したい場合は、date.todayメソッドで可能です。

```
cell = date.today()
```

　また、時刻も含めた現在日時を代入したい場合は、datetime.nowメソッドを使用します。

入力内容を削除する方法

　次は、入力内容を削除する方法です。削除するには、そのセルのvalue属性に**None**を代入します。Noneは、Pythonで「値が存在しない」ことを表す定数です。セルのvalue属性にNoneを代入しても、セル自体が削除されることはありません。

```
cell.value = None
```

申請書を初期状態にする

　それではサンプルプログラムを見てみましょう。

initialize_sheet.py

```
01  from datetime import date
02
03  from openpyxl import load_workbook
04
05  wb = load_workbook("申請書.xlsx")
06  ws = wb.active
07
08  ws["C4"] = "営業部一課"
09  ws["C5"] = "佐藤花子"
10  ws["C6"] = date.today()
11
```

```
12    for row in ws.iter_rows(min_row=11, max_row=ws.max_row, min_
      col=2, max_col=7):
13        row[0].value = None
14        row[4].value = None
15        row[5].value = None
16
17    wb.save("申請書_変更後.xlsx")
```

　セルC4〜C6に対して「ws["C4"] = "営業部一課"」のように記述することで、初期値を代入しています。そのあとは、セルB11以降の値を削除するために、Worksheet.iter_rowsメソッドでセルB11以降を取得し、順番にNoneを代入します。

○44 複数のシートから「集計」シートを作成する

Excelで売上や人件費などを管理するとき、月別のシートに記録していって、最後にすべてのシートをマージして集計することがよくあります。手作業のコピー＆ペーストだと操作ミスが発生しやすいため、プログラムで実現するとよいでしょう。ここでは、月別の「売上実績」シートを1つの「集計」シートにマージするサンプルプログラムを紹介します。マージには新しい機能は必要なく、今までに紹介したメソッドの組み合わせで実現可能です。

月別の「売上実績」シートが3シートある

「集計」シートには表の見出しだけがある

```
> python merge_tables.py ─── プログラムを実行
```

プログラムを実行すると、3つのシートそれぞれにあった表が、「集計」シートにマージされます。

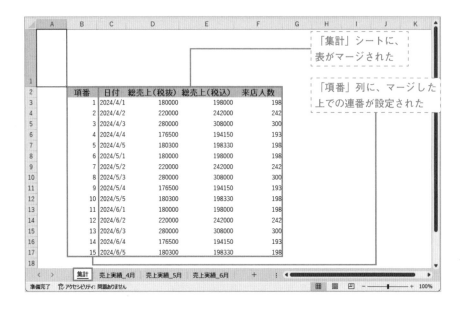

図「集計」シートに、表がマージされた

「項番」列に、マージした上での連番が設定された

📗 1つの「集計」シートにマージする

それではサンプルプログラムを見てみましょう。

merge_tables.py

```
01  from openpyxl import load_workbook
02
03  wb = load_workbook("売上実績.xlsx")
04  ws_syukei = wb["集計"]
05
06  row_list = []
07  for ws in wb.worksheets[1:]:                    データを取り出す処理
08      for row in ws.iter_rows(
09          min_row=3, max_row=ws.max_row, min_col=3, max_col=ws.
    max_column
10      ):
11          cell_list = [(cell.value, cell.number_format) for cell
    in row]
12          row_list.append(cell_list)
13                                                  取り出したデータ
                                                    を「集計」シートに
14  for i, row in enumerate(row_list):              書き込む処理
15      row_no = i + 3
16      ws_syukei.cell(row_no, 2).value = i + 1     「項番」列
17
18      for j, cell in enumerate(row):
```

```
19          col_no = j + 3
20          ws_syukei.cell(row_no, col_no).value = cell[0]
21          ws_syukei.cell(row_no, col_no).number_format = cell[1]
22
23  wb.save("売上実績_変更後.xlsx")
```

　本サンプルプログラムには、大きく2つの処理があります。データを取り
出す処理と、取り出したデータをシートに書き込む処理です。

　データを取り出す処理では、まず、ブックの全シートについて表の値を取
得します。ブックの全シートはWorkbook.worksheets属性を用いて取得でき
ますが、「集計」シートも取得されてしまいます。「集計」シート以外のシー
トを取得したいので、Pythonのスライスを使ってwb.worksheets[1:]として
います。そうすると、「売上実績.xlsx」のシートの2シート目以降が対象となり、
「売上実績_4月」、「売上実績_5月」、「売上実績_6月」のシートのみが取得で
きます。シートを取得したら、そのシートにあるデータを1行ずつ取得します。
その行に含まれるセルの値とnumber_format属性は、Pythonのタプルにし
ます。このタプルを要素としたリストを、Pythonのリスト内包表記を使用
して作成し、cell_list変数に代入します。このcell_list変数は、row_list変数
に追加していきます。

　取り出したデータをシートに書き込む処理では、まず、for文でrow_list変
数のデータを取得します。このとき、「項番」列にはi変数を設定することで、
通し番号にしています。

　そのあとのfor文では、取得したデータを順番にセルへ設定していきます。
セルのnumber_format属性も設定することで、取得元のセルの書式設定を引
き継いでいます。

　このように、データを取り出す処理とデータを書き込む処理を分けて記述
すると、プログラムがわかりやすくなり、バグがあった場合にも調査がしや
すいです。

045 指定した人数分ブックを コピーする

業務で、元となるブックを、部署やチームのメンバーの名前を入れつつ、人数分コピーが必要なケースはないでしょうか？ 単純作業ではありますが、人数が多いと意外と手間なので、Pythonで自動化するとよいでしょう。この処理はこれまで紹介したopenpyxlの機能を組み合わせれば実現可能なので、紹介しましょう。

名前一覧.xlsx

	A	B	C	D	E	F	G	H	I	J
1										
2		#	名前							
3		1	藤井正子		名前一覧					
4		2	山田翔太							
5		3	村上雅也							
6										
7										
8										
9										
10										
11										

> python book_copy.py ── プログラムを実行

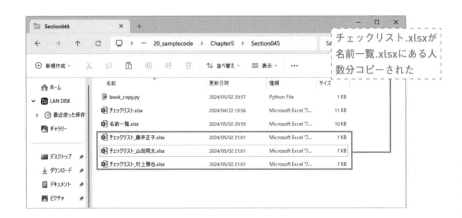

チェックリスト.xlsxが名前一覧.xlsxにある人数分コピーされた

ブックを人数分コピーする方法

「名前一覧.xlsx」にある人数分ブックをコピーするには、「名前一覧.xlsx」を読み込み、その内容を別ブックに設定していく必要があります。これは、これまで紹介したメソッドなどで対応できそうですね。それでは、サンプルプログラムを見てみましょう。

book_copy.py

```
01  from openpyxl import load_workbook
02
03  wb = load_workbook("チェックリスト.xlsx")
04  ws = wb.active
05
06  name_wb = load_workbook("名前一覧.xlsx")
07  name_ws = name_wb.active
08
09  for row in name_ws.iter_rows(min_row=3, min_col=3):
10      name = row[0]
11      ws.title = name.value
12      wb.save(f"チェックリスト_{name.value}.xlsx")
```

元となるブック（チェックリスト.xlsx）を、あるブック（名前一覧.xlsx）に書かれている名前の人数分、コピーします。その際、名前一覧.xlsxから、名前を順に取得し、ブック名とシート名に設定するために、名前一覧.xlsxに対して、iter_rowsメソッド（P.87参照）を利用します。iter_rowsメソッドで取得した行に対して、繰り返し処理を行います。繰り返し処理の中では、iter_rowsメソッドから取得した行のうち、C列のセル情報を取得したいので、「row[0].value」と記述しています。これで取得した名前を、シート名とブック名に設定して、ブックを保存します。

決まった組み合わせの書式を適用する

Excelには表示形式、フォント、罫線などの設定をまとめて登録できる「セルのスタイル」という機能があります。同じ組み合わせの書式を何度も設定できる便利な機能で、openpyxlでも登録することが可能です。登録した「セルのスタイル」はあとでブックを修正するときに使用できるので、手作業で修正する予定のブックであれば登録しておくと便利です。そこで、「セルのスタイル」を使って表全体に同じ書式を設定するサンプルプログラムを紹介しましょう。

	A	B	C	D	E	F	G	H	I
1									
2		項番	課題	ステータス	担当者		表（セルB2〜E12）があるブック		
3		1	想定と異なる数値が表示される	完了	鈴木				
4		2	画面が表示できない	完了	佐藤				
5		3	画面がフリーズする	対応中	石川				
6		4	文字の色が設計書と異なる	対応中	宮城				
7		5	ボタン名が設計書と異なる	対応中	渡辺				
8		6	テキストボックスが非活性になる	対応中	井上				
9		7	検索ボタンがクリックできない	起票	生田				
10		8	メールが送信されない	起票	坂井				
11		9	リストに想定と異なる値が表示され	起票	郡司				
12		10	エラーメッセージが表示されない	起票	金本				

```
> python style_table.py ──── プログラムを実行
```

	A	B	C	D	E	F	G	H	I
1									
2		項番	課題	ステータス	担当者		表の書式（フォント、サイズ、罫線）が変更された		
3		1	想定と異なる数値が表示される	完了	鈴木				
4		2	画面が表示できない	完了	佐藤				
5		3	画面がフリーズする	対応中	石川				
6		4	文字の色が設計書と異なる	対応中	宮城				
7		5	ボタン名が設計書と異なる	対応中	渡辺				
8		6	テキストボックスが非活性になる	対応中	井上				
9		7	検索ボタンがクリックできない	起票	生田				
10		8	メールが送信されない	起票	坂井				
11		9	リストに想定と異なる値が表示さ	起票	郡司				
12		10	エラーメッセージが表示されない	起票	金本				

☑ セルのスタイルを作成する方法

　セルのスタイルを作成するには**NamedStyleオブジェクト**を使用します。NamedStyleオブジェクトに用意されているfont属性やborder属性に、設定したい書式のオブジェクトを代入すると、決まった組み合わせのスタイルが設定されます。

```
style = NamedStyle(スタイル名)
style.font = Font(指定の書式)
style.border = Border(指定の書式)
```

　作成したNamedStyleオブジェクトを、セルのstyle属性に代入することで、そのセルのスタイルを設定できます。

```
cell.style = style
```

☑ セルのスタイルを設定する

　それではサンプルプログラムを見てみましょう。

style_table.py

```
01  from openpyxl import load_workbook
02  from openpyxl.styles import Border, Font, NamedStyle, Side
03
04  wb = load_workbook("課題一覧.xlsx")
05  ws = wb.active
06
07  table_style = NamedStyle(name="table_style")    ── セルのスタイルを作成
08  table_style.font = Font(name="Yu Gothic", size=13)
09  black_thin = Side(color="000000", border_style="thin")
10  table_style.border = Border(
11      left=black_thin, right=black_thin,top=black_thin,
    bottom=black_thin
12  )
13
14  for row in ws.iter_rows(min_row=3, max_row=ws.max_row, min_
    col=2, max_col=5):
15      for cell in row:
16          cell.style = table_style    ── セルのスタイルを適用
17
18  wb.save("課題一覧_変更後.xlsx")
```

NamedStyleオブジェクトを使って、セルのスタイルを作成します。ここでは、フォントをYu Gothicで、文字のサイズを13、格子状の罫線を引くスタイルにしています。作成したスタイルは、セルのstyle属性に代入することで、その書式が設定できます。プログラムを実行したあとにExcelの［ホーム］タブの［セルのスタイル］をクリックして確認すると、以下の「セルのスタイル」が作成されたことがわかります。

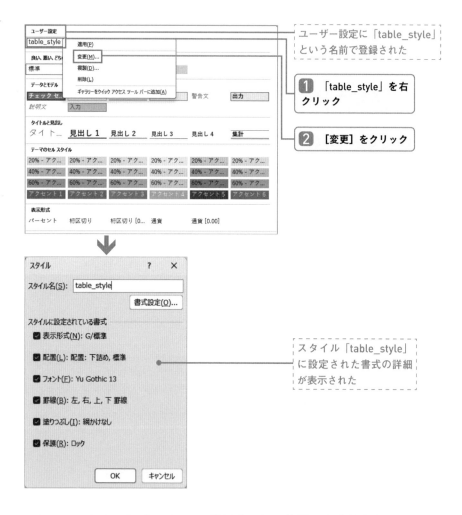

　セルのスタイルをプログラムで使用すると、複数の書式設定を1つにまとめられるため、プログラムが理解しやすくなるというメリットもあります。積極的に使ってみてもよいでしょう。

○47 対象のシートにジャンプする「目次」シートを作成する

　ブックのシート数が多いと、対象のシートを探すのに時間がかかってしまいます。そういう場合、各シートへのハイパーリンクをまとめた「目次」のシートを作成することがあります。ハイパーリンクを1つずつ設定していくのは意外に時間がかかるため、ここでは、ブックのシートすべてのリンクをまとめた「目次」シートを、新規作成するサンプルプログラムを紹介します。

```
> python hyperlink_sheet.py ──── プログラムを実行
```

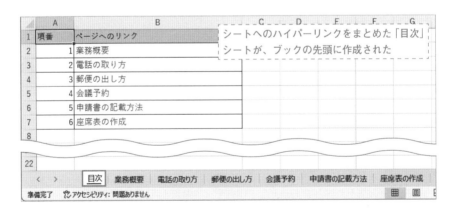

■ ハイパーリンクを作成する方法

　ハイパーリンクは、ExcelのHYPERLINK関数をセルに代入しても作成可能です。しかしここでは、Excelの「ハイパーリンクの挿入機能」を使う方法を紹介しましょう。ハイパーリンクを作成するには、**hyperlink属性**を使います。ただ、Excelの画面上でハイパーリンクを作成すると自動的に文字

色が青くなりますが、hyperlink属性では書式は変わりません。セルのstyle属性に"Hyperlink"を代入することで、ハイパーリンクの書式を設定することができます。

```
cell.hyperlink = リンク先
cell.style = "Hyperlink"
```

この"Hyperlink"という文字列は、Excelに事前に用意されているスタイル（ビルトインスタイル）です。"Hyperlink"以外にもビルトインスタイルはいくつかあるため、よく使うものがあれば覚えておくと便利です。

- openpyxlのビルトインスタイル

  https://openpyxl.readthedocs.io/en/stable/styles.html#using-builtin-styles

「目次」シートを作成する

それではサンプルプログラムを見てみましょう。

hyperlink_sheet.py

```
01  from openpyxl import load_workbook
02  from openpyxl.styles import Border, PatternFill, Side
03
04  wb = load_workbook("業務マニュアル.xlsx")
05
06  ws_new = wb.create_sheet(title="目次", index=0)  ── シートを作成
07  ws_new.column_dimensions["B"].width = 40
08  for ws in wb.worksheets:
09      ws.sheet_view.tabSelected = None
10
11  black_thin = Side(color="000000", border_style="thin")
12  border = Border(left=black_thin, right=black_thin,top=black_thin, bottom=black_thin)
13  green_fill = PatternFill(fgColor="C6E0B4", fill_type="solid")
14
15  for i, col_name in enumerate((("項番", "ページへのリンク")):  ── 表の見出しを設定
16      col_no = i + 1
17      ws_new.cell(1, col_no).value = col_name
18      ws_new.cell(1, col_no).fill = green_fill
19      ws_new.cell(1, col_no).border = border
20
```

```
21  for i, sheetname in enumerate(wb.sheetnames[1:]):
                        └──── 表の見出し以降（シートの2行目以降）を設定
22      row_no = i + 2
23      ws_new.cell(row_no, 1).value = i + 1 ──── 「項番」列
24      ws_new.cell(row_no, 1).border = border
25
26      ws_new.cell(row_no, 2).value = sheetname ── シート名
27      ws_new.cell(row_no, 2).hyperlink = f"#{sheetname}!A1"
                └──── シートへのハイパーリンク
28      ws_new.cell(row_no, 2).style = "Hyperlink" ── 書式
29      ws_new.cell(row_no, 2).border = border
30
31  wb.active = 0
32  wb.save("業務マニュアル_変更後.xlsx")
```

　まず、「目次」シートを新規作成するためにWorkbook.create_sheetメソッド（P.52参照）を呼び出します。

　次は、2枚目以降のシートを順番に取得して、ハイパーリンクを作成する処理を繰り返します。hyperlink属性には、"#シート名!A1"を代入することで、同じブック内のシートへのハイパーリンクを作成しています。プログラムを実行したあとにExcelでハイパーリンクのセルを右クリックして、［ハイパーリンクの編集］をクリックします。すると、以下のように設定されたことがわかります。これは、1つ目のシートである、「業務概要」シートへのリンクが設定されたセルの画面です。

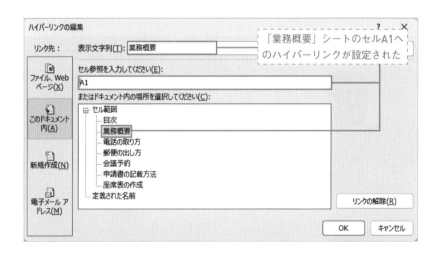

048 大量の画像を 1つのブックにまとめる

複数の画像をブックにまとめて、会議用の資料や納品物を作成した経験はないでしょうか。大量の画像も1つのブックにまとまっていると、全体が把握しやすくなります。手作業で画像を配置していく作業が面倒なことはいうまでもありませんが、Excelの機能で画像を挿入するとアクティブセルに配置されるため、いちいち移動する手間も発生します。そんなときはプログラムで実現しましょう。ここでは、「image」フォルダーにある、拡張子「.jpg」の画像を取得して、ブックに挿入するサンプルプログラムを紹介します。

「image」フォルダーに
jpg画像が複数ある

```
> python image_table.py ──── プログラムを実行
```

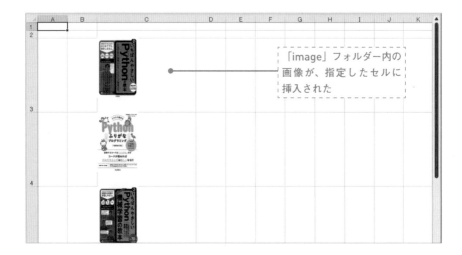

「image」フォルダー内の
画像が、指定したセルに
挿入された

◢ 画像を挿入する方法

　openpyxlでシートに画像を挿入するには、**Pillow**というライブラリが必要です。Pillowはサードパーティ製パッケージなので、追加でインストールする必要があります。まずは、ターミナルで次のコマンドを入力し、インストールしましょう。

```
> pip install pillow
```

　画像を挿入するには、**Imageオブジェクト**を使用します。挿入する画像のサイズは、width属性とheight属性で調整可能です。

```
image = Image(ファイル名、またはファイルオブジェクト)
image.width = 画像の幅
image.height = 画像の高さ
```

　Imageオブジェクトを作成したら、Worksheet.add_imageメソッドで画像を挿入したいセルを指定すればOKです。

```
ws.add_image(Imageオブジェクト, セル番地)
```

◢ 画像を1つのブックにまとめる

　それではサンプルプログラムを見てみましょう。

image_table.py
```
01  from pathlib import Path
02
03  from openpyxl import Workbook
04  from openpyxl.drawing.image import Image
05
06  wb = Workbook()
07  ws = wb.active
08  ws.column_dimensions["C"].width = 30
09
10  path = Path("./image")
11  for i, file in enumerate(path.glob("*.jpg")):
12      row_no = i + 3
13      ws.row_dimensions[row_no].height = 130
14
```

```
15      image = Image(file) ─────────── Imageオブジェクトを作成
16      image.width = 100 ───────────── 画像の幅を指定
17      image.height = 140 ──────────── 画像の高さを指定
18
19      ws.add_image(image, f"C{row_no}") ── シートに画像を挿入
20
21  wb.save("一覧.xlsx")
```

　Pathlib.globメソッドを用いて、「image」フォルダー内の拡張子「.jpg」の画像を順に取得します。そして、取得した画像のパスでImageオブジェクトを生成します。add_imageメソッドで画像を挿入するとき、挿入するセルの位置をC列としています。このとき、挿入する行番号を変えていくために、繰り返し処理の中でカウントアップしているrow_no変数を用いています。

ここもポイント | **画像の加工を行うには？**

Excelでは画像の色や比率などを加工する機能がありますが、openpyxlではサポートしていません。画像の色を変更したり、縦横比を維持したリサイズをしたりしてからブックに挿入したいときは、事前にPillowで処理する必要があります。Pillowは、Pythonにおける画像処理を行うライブラリで、実にさまざまな機能が用意されています。本書は、Excel操作についての解説書なのでPillowの解説は割愛しますが、興味のある方は公式ドキュメントを参照してください。

- **Pillow公式ドキュメント**
  https://pillow.readthedocs.io/en/stable/

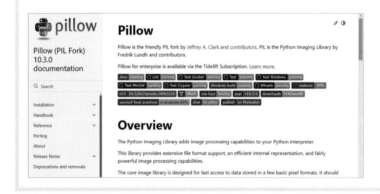

049 | 動画のサイズと再生時間をブックに書き出す

業務で、顧客から動画ファイルを提供してもらったので、動画のサイズや再生時間を調べたい、といったケースはないでしょうか？ 動画数が少ないなら、1つずつ動画を開いていけば調べられますが、数が多い場合は手動で行うのは面倒です。Pythonでは、動画を扱うライブラリもあるので、これをopenpyxlと組み合わせて、動画の情報をExcelにまとめてみましょう。

> 「mp4」フォルダーに動画ファイルが1つある状態

動画情報.xlsx

	横幅	高さ	再生時間

```
> python movie_time.py ——— プログラムを実行
```

	横幅	高さ	再生時間
	1080	1920	0:00:23

> 動画のサイズ（幅と高さ）と再生時間が設定された

5

Python による Excel 操作の応用

193

🔲 動画の情報を取り出す方法

　Pythonで動画を扱いたい場合は、**OpenCVライブラリ**を使用しましょう。OpenCVはサードパーティ製パッケージなので、追加でインストールする必要があります。まずは、ターミナルで次のコマンドを入力し、インストールしましょう。

```
> pip install opencv-python
```

　OpenCVでは、動画を読み込むには、**VideoCaptureオブジェクト**を取得します。

```
cap = cv.VideoCapture(動画ファイルのパス)
```

　VideoCaptureオブジェクトの**getメソッド**を使うと、動画のサイズ（幅と高さ）や、フレームレート、総フレーム数などが取得できます。

```
width = cap.get(cv2.CAP_PROP_FRAME_WIDTH)      # 幅
height = cap.get(cv2.CAP_PROP_FRAME_HEIGHT)    # 高さ
frame = cap.get(cv2.CAP_PROP_FRAME_COUNT)      # フレームレート
fps = cap.get(cv2.CAP_PROP_FPS)                # 総フレーム数
```

　それでは、サンプルプログラムを見てみましょう。

movie_time.py

```
01  from datetime import timedelta
02
03  import cv2
04  from openpyxl import load_workbook
05
06  cap = cv2.VideoCapture("./mp4/sample.mp4")         ── 動画を読み込む
07  width = cap.get(cv2.CAP_PROP_FRAME_WIDTH)          ── 幅を取得
08  height = cap.get(cv2.CAP_PROP_FRAME_HEIGHT)        ── 高さを取得
09  frame = cap.get(cv2.CAP_PROP_FRAME_COUNT)          ── フレームレートを取得
10  fps = cap.get(cv2.CAP_PROP_FPS)                    ── 総フレーム数を取得
11  sec = int(frame / fps)
12
```

```
13  wb = load_workbook("動画情報.xlsx")
14  ws = wb.active
15
16  ws["A3"] = width
17  ws["B3"] = height
18  ws["C3"] = str(timedelta(seconds=sec)) ──── 秒数を時分秒に変換
19
20  wb.save("動画情報_変更後.xlsx")
```

プログラムと同階層の「mp4」フォルダーにある動画ファイル「sample.mp4」を、VideoCapture("./mp4/sample.mp4")で読み込み、VideoCaptureオブジェクトを取得します。そしてVideoCaptureオブジェクトのgetメソッドで、動画の各種情報を取得します。また、動画の再生時間は、総フレーム数をフレームレートで割ると求められます。

これらで取得した情報を、openpyxlの機能でExcelのブックに設定します。なお、先ほど求めた再生時間は秒数です。ここでは、「時:分:秒」形式にしたいため、Pythonのdatetime.モジュールの**timedeltaオブジェクト**を使用しています。timedeltaは時刻を扱うオブジェクトであり、「datetime.timedelta(seconds=sec)」と記述すると、秒数を「時:分:秒」形式に変換できます。

本サンプルプログラムは、動画の情報を取得する方法がわかりやすくなるように、複数ファイルの読み込みは実装していませんが、P.56などのようにfor文を組み合わせれば、複数の動画ファイルの情報をまとめるのも簡単に実現可能です。

ここもポイント | OpenCVとは

OpneCV は、動画だけではなく、画像処理も行える、実に多機能なライブラリです。また、Pythonだけではなく、C++やJavaといったプログラミング言語でも利用可能です。本書は、Excel操作についての解説書なのでOpneCVの詳細な解説は割愛しますが、興味のある方は公式ドキュメントを参照してください。

- OpenCV
  https://opencv.org/

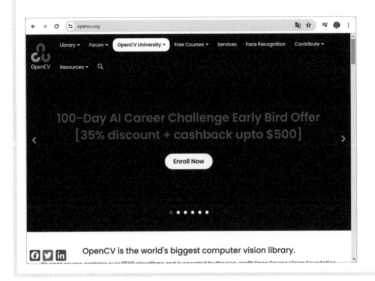

050 ブック名を一括で変更する

　ここから数セクションは、openpyxlの機能ではありませんが、Pythonでブックやフォルダーを操作する方法を紹介しましょう。Excelで長期間作業していると、だんだんブック数が多くなっていきます。そのため、Pythonで個々のブックを操作するだけでなく、ファイルを整理する処理もあわせて行うと、一段階上の作業の自動化が実現できます。

　まずは、ブック名を一括で変更するサンプルプログラムです。サンプルプログラムでは、ブック名の末尾に連番（4桁の0埋め）を追加します。変更する対象は、「books」フォルダーにある拡張子「.xlsx」のファイルとします。

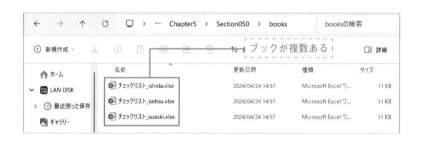

```
> python file_rename.py ─────── プログラムを実行
```

ブック名を変更する方法

　Pythonでブック名を変更するには、**Path.renameメソッド**を使用します。

```
path.rename(変更後のブック名、または変更後のブックを表すPathオブジェク
ト)
```

　今回は、ブック名の末尾に連番を追加します。そのため、もともとのブック名に連番を追加した値を、renameメソッドに渡す必要があります。renameメソッドには文字列を渡してもよいのですが、ここでは、Pathオブジェクトを渡すようにします。**/演算子**を使うと、すでに生成したPathオブジェクトにパスを連結して、変更後のブックを表す新しいPathオブジェクトを生成することができます。

```
path / 文字列やほかのPathオブジェクト
```

　その際、ブック名から拡張子を除いた文字列を取得するのに**Path.stem属性**を使用します。

```
path.stem
```

　たとえばブック名が「チェックリスト_suzuki.xlsx」の場合、stem属性は「チェックリスト_suzuki」を返します。

☑ ブック名の末尾に連番を追加する

　それではサンプルプログラムを見てみましょう。

file_rename.py

```
01  from pathlib import Path
02
03  path = Path("./books")
04  for i, file in enumerate(path.glob("*.xlsx")):
05      file.rename(path / f"{file.stem}_{i+1:04d}.xlsx")
```
ブック名に連番を追加

　とても短いプログラムですね。「books」フォルダーにある拡張子「.xlsx」のブックを取得するために、pathlibのglobメソッドを用いています。変更後のブック名は、stem属性の値に「i+1:04d」という記述で連番を追加して作成します。「04d」という書式を指定することで、連番である「i+1」が4桁で0埋めされた表記になります。この文字列を、/演算子を使ってpath変数に連結すると、変更後のブックを表すPathオブジェクトが生成できます。

051 大量のブックを 月別にフォルダー分けする

Excelのブック名には、年月や日付を入れることがよくあります。たとえば、ひな形となるブックをメンバーに配布し、記入したらブック名に名前と年月を入れて返してもらう場合などです。このような作業を行った結果、返送されたブックが多くなってきたら、月別にフォルダー分けする必要が出てきます。

ここでは、複数のブックを月別にフォルダー分けするサンプルプログラムを紹介します。そのブックをどのフォルダーに移動するのかは、ブック名に含まれる年月で判断します。また、月ごとのフォルダーの作成も、プログラム内で行います。

ブック名に年月が含まれている

```
> python file_move.py ———— プログラムを実行
```

年月ごとにフォルダー分けされた

フォルダー内には、対象のブックが格納されている

☑ 対象のブックのみを抽出する方法

　ブックを月別にフォルダー分けするためには、名前に年月が含まれている
ブックのみ取得する必要があります。このように、あるパターンにマッチし
ているのかを判定するには、**正規表現**を使いましょう。正規表現とは、文字
列のパターンを記号の組み合わせで表す記法のことです。

　Pythonで正規表現を扱うには**reモジュール**を使います。reモジュールは標
準ライブラリなので、追加でインストールする必要はありません。reの
searchメソッドを使うと、正規表現にマッチしているかどうかを判定するこ
とができます。マッチしている場合はマッチしている最初の場所が戻され、
マッチしていない場合はNoneが戻されます。また、マッチした文字列全体は、
match[0]で取得可能です。

```
match = re.search(正規表現, マッチしているかを判定したい文字列)
```

☑ フォルダーを作成する方法

　Pythonでフォルダーを作成するには、**Path.mkdirメソッド**を使用します。

```
path.mkdir(exist_ok=True)
```

　exist_ok引数をTrueにすると、すでに同名のフォルダーが作成されていて
もエラーになりません。フォルダーの存在確認をする手間を省きたい場合は、
Trueにしておきましょう。

　mkdirメソッドでフォルダーを作成したら、あとはブックを移動するだけ
ですが、ブックの移動にはPath.renameメソッドを用います。前のセクショ
ンではブック名を変更するメソッドとして紹介しましたが、実はブックの移
動にも使えるメソッドなのです。

☑ ブックを月別にフォルダー分けする

　それではサンプルプログラムを見てみましょう。

file_move.py

```
01  import re
02  from pathlib import Path
03
04  path = Path("./books")
05  for file in path.glob("*.xlsx"):
06      file_name = file.name
07      match = re.search(r"20(\d{4})", file_name)    ← 20+数値4桁にマッチするかを調べる
08      if match is None:                             ← マッチしたかを判定
09          continue                                  ← マッチしていない場合は次の繰り返しへ
10
11      month_folder = path / match[0]                ← フォルダーを表すPath
                                                        オブジェクトを作成
12
13      month_folder.mkdir(exist_ok=True)             ← 指定したパスのフォルダーを作成
14
15      month_file = month_folder / file_name
16      file.rename(month_file)                       ← ブックを指定したフォルダーに移動
```

　まず取得したブックについて、「20のあとに4桁の数字が続く」正規表現にマッチしているのかをre.searchメソッドを用いて調べます。マッチしているブックのみ移動したいので、「if match is None」でNoneかどうかを判定します。マッチしていたら、re.searchメソッドで取得した文字列でフォルダーを作成して、ブックを移動します。

　renameメソッドを用いてブックを移動する場合は、移動先のパスを表すPathオブジェクトを/演算子を用いて生成し、renameメソッドに渡します。このように、すでに生成したPathオブジェクトがある場合は、/演算子を使用すると便利です。

ここもポイント ｜ 正規表現の先頭にある「r」は何を表している？

先ほど見せた正規表現「r"20(\d{4})"」は、先頭に「r」が付いていました。この「r」は**raw文字列記法**と呼びます。raw文字列記法は、バックスラッシュをただの文字列で扱います。

Pythonの通常の文字列では、バックスラッシュは特別な意味を持ちます。たとえば、タブや改行といった特殊な文字は「\t」、「\n」のようにバックスラッシュを用いて表します。このバックスラッシュは、エスケープ文字と呼びます。

正規表現ではバックスラッシュをただの文字列として多用するため、raw文字列記法を使うのが一般的です。

052 ブックのパスをまとめて引き継ぎ資料を作成する

　業務を誰かに引き継ぐために、引き継ぎ資料を作成することがあります。引き継ぎ資料には、担当業務やその手順を記述しますが、加えて、どの資料がどこにあるのかを伝えるために、ブックのパスをまとめて記述することがあるでしょう。そのときに、1ブックごとに、パスとブック名をコピーしてExcelに貼り付けているのではないでしょうか。

　そこで、「books」フォルダーにある拡張子「.xlsx」のブックのパスを表にまとめるサンプルプログラムを紹介します。機械的に対象フォルダー内のブックのパスを取得するので不要なものも含まれる場合があります。しかしブック数が多い場合は、手作業で必要なものを集めるより、プログラムで集めたものから不要なものを取り除いたほうが速いはずです。

　本来、ファイルサーバー上で実施したい内容ですが、サンプルプログラムではローカルのフォルダーを想定しています。

`> python filepath_sheet.py` プログラムを実行

✐ ブックのパスを取得する方法

Pythonでブックの絶対パスを取得するには、**Path.resolveメソッド**を使用します。

```
path.resolve()
```

絶対パスをそのまま表にまとめるより、絶対パスを、ブックまでのパスとブック名に分けると表がスッキリします。ブックまでのパスは**Path.parent属性**、ブック名は**Path.name属性**で取得できます。

```
path.parent
path.name
```

✐ ブックのパスをまとめた引き継ぎ資料を作成する

それではサンプルプログラムを見てみましょう。

filepath_sheet.py

```
01  from pathlib import Path
02
03  from openpyxl import Workbook
04  from openpyxl.styles import Border, PatternFill, Side
05
06  wb = Workbook()
07  ws = wb.active
08  ws.column_dimensions["B"].width = 40
09  ws.column_dimensions["C"].width = 30
10
11  black_thin = Side(color="000000", border_style="thin")
12  border = Border(left=black_thin, right=black_thin, top=black_
    thin, bottom=black_thin)
13  green_fill = PatternFill(fgColor="C6E0B4", fill_type="solid")
14
15  for i, col_name in enumerate(("項番", "パス", "ブック名")):
16      col_no = i + 1
17      ws.cell(1, col_no).value = col_name
18      ws.cell(1, col_no).fill = green_fill
19      ws.cell(1, col_no).border = border
20
21
22  path = Path("./books")
```

```
23  for i, file in enumerate(path.glob("**/*.xlsx")):
24      row_no = i + 2
25      ws.cell(row_no, 1).value = i + 1 ───────── 項番を設定
26
27      absolute_path = file.resolve() ───────── 絶対パスを取得
28      filepath = absolute_path.parent ───────── ブックまでのパスを取得
29      filename = absolute_path.name ───────── ブック名を取得
30
31      ws.cell(row_no, 2).value = str(filepath) ── パスを文字列に変換
32      ws.cell(row_no, 3).value = filename ───── ブック名を設定
33
34      ws.cell(row_no, 1).border = border
35      ws.cell(row_no, 2).border = border
36      ws.cell(row_no, 3).border = border
37
38  wb.save("引き継ぎ資料.xlsx")
```

　「books」フォルダーにある拡張子「.xlsx」のブックを取得するため、pathlibのglobメソッドを用いています。「books」フォルダー内にあるサブフォルダー内も再帰的に探すために、「**/*.xlsx」をglobメソッドに渡します。あとは返されたパスをセルに書き込んでいきます。parentメソッドはPathオブジェクトを返すので、セルに代入するときはstr関数を用いて文字列に変換する必要があります。

ライブラリでテキスト
データの処理を自動化する

053 | CSVファイルを前処理して Excelに出力する

　ここから2章にわたって、openpyxlに加えて、Pythonのほかのライブラリも組み合わせたサンプルプログラムを紹介していきます。Pythonの豊富なライブラリと組み合わせることで、Excel単体では実現できないデータの処理や抽出、外部アプリケーションとの連携が可能になります。本章ではその中でも、テキストデータの処理を自動化する方法を解説します。

　まずは、P.154でも紹介したpandasを解説します。pandasはデータ解析用のライブラリであり、データの集計や加工を行える機能が多く用意されています。データの集計や加工はExcelでも行えますが、Excelのフィルターや関数を使ったとしても手作業なのでミスの原因になります。pandasを組み合わせると、Excelで行っていた加工や前処理をpandasで行うことができるようになります。

- **pandas公式ドキュメント**
  https://pandas.pydata.org/

　本セクションでは、部門別の当期売上と前期売上データのCSVファイルを使って、データの加工や集計を行う方法を解説します。本書で扱うCSVファイルの文字コードはUTF-8なので、開く際はVS Codeなどのエディターを使用してください。

uriage.csv

```
01   部門,小分類,当期売上,前期売上
02   家具,テーブル,200,300
03   家具,座椅子,200,200
04   家具,ベッド,225,200
05   ファブリック,時計,70,60
06   ファブリック,カバー,700,600
07   ファブリック,マット,590,560
08   ファブリック,クッション,750,780
09   キャラクター,ぬいぐるみ,100,110
10   キャラクター,バッグ,1340,1240
11   キャラクター,文房具,550,540
12   キッチン,マグカップ,400,300
13   キッチン,ボトル,450,380
14   キッチン,カトラリー,230,197
15   キッチン,食器,220,210
```

CSVファイルを1行ずつ処理する方法

まずはExcelを絡めずに、pandasでCSVファイルを読み込み、1行ずつ処理する方法を紹介します。uriage.csvの「小分類」列を画面に表示するサンプルプログラムです。1行ずつ処理していることがわかるように、読み込んだ行数もあわせて表示します。

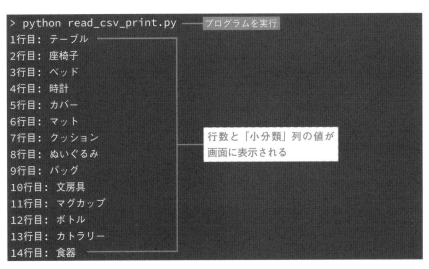

P.155で紹介しましたが、CSVファイルを読み込むにはpandasの read_csv メソッドを使用します。pandasで読み込んだCSVファイルはDataFrameと

いうオブジェクトになります。DataFrameオブジェクトは、データを表形式で保持します。読み込んだデータを1行ずつ処理するには、**DataFrame.iterrowsメソッド**を使います。

```
df.iterrows()
```

read_csv_print.py

```
01  import pandas as pd
02
03  df = pd.read_csv("uriage.csv", encoding="utf-8")
04
05  for index, row in df.iterrows():
06      print(f"{index + 1}行目: {row['小分類']}")
```

iterrowsメソッドを用いることで、index変数にはデータのインデックス (0始まり)、row変数にはデータが1行ずつ代入されます。row[列名]と記述すると対象の列の値が取得可能です。ここではrow['小分類']と記述して、CSVファイルの2列目である「小分類」列の値を取得しています。

✅ CSVファイルをExcelに出力する方法

次は、CSVファイルをExcelに出力する方法を紹介します。Chapter 4でCSVファイルを読み込むときにも紹介しましたが、復習がてら確認しておきましょう。

```
> python read_csv_cell.py ──────── プログラムを実行
```

	A	B	C	D	E	F	G	H	I	J
1	部門	小分類	当期売上	前期売上						
2	家具	テーブル	200	300						
3	家具	座椅子	200	200						
4	家具	ベッド	225	200						
5	ファブリック	時計	70	60						
6	ファブリック	カバー	700	600						
7	ファブリック	マット	590	560						
8	ファブリック	クッション	750	780						
9	キャラクター	ぬいぐるみ	100	110						
10	キャラクター	バッグ	1340	1240						
11	キャラクター	文房具	550	540						
12	キッチン	マグカップ	400	300						
13	キッチン	ボトル	450	380						
14	キッチン	カトラリー	230	197						
15	キッチン	食器	220	210						
16										

CSVファイルがExcelに出力された

208

データを1行ずつ処理してExcelに出力するのは、DataFrame.iterrowsメソッドを用いても可能です。しかし、本書ではdataframe_to_rows関数を使用します。iterrowsメソッドで取得したデータはシートに直接書き込めない形式になっており、リストへの変換などが必要なためです。対してdataframe_to_rows関数は、シートに直接書き込める形式で1行ずつデータを取り出せます。

dataframe_to_rows(DataFrameオブジェクト, index=None,
　　　　　　　　header=ヘッダー行を取得する場合はTrue)

read_csv_cell.py

```
01  import pandas as pd
02  from openpyxl import Workbook
03  from openpyxl.utils.dataframe import dataframe_to_rows
04
05  wb = Workbook()
06  ws = wb.active
07
08  df = pd.read_csv("uriage.csv", encoding="utf-8")
                                          CSVファイルを読み込む
09
10  for row in dataframe_to_rows(df, index=None, header=True):
11      ws.append(row)
12
13  wb.save("売上高.xlsx")
```

　CSVファイルを読み込み、dataframe_to_rows関数を使ってデータを1行ずつ処理します。ヘッダー行があるCSVファイルなので、dataframe_to_rows関数のheader引数をTrueにしています。

■ ヘッダー行がないCSVファイルをExcelに出力する方法

　ヘッダー行がないCSVファイルをExcelに出力する方法を紹介します。読み込むCSVファイルは次に示すuriage_without_header.csvとします。

uriage_without_header.csv

```
01  家具,テーブル,200,300
02  家具,座椅子,200,200
```

03	家具,ベッド,225,200
04	ファブリック,時計,70,60
05	ファブリック,カバー,700,600
06	ファブリック,マット,590,560
07	ファブリック,クッション,750,780
08	キャラクター,ぬいぐるみ,100,110
09	キャラクター,バッグ,1340,1240
10	キャラクター,文房具,550,540
11	キッチン,マグカップ,400,300
12	キッチン,ボトル,450,380
13	キッチン,カトラリー,230,197
14	キッチン,食器,220,210

```
> python header_csv.py ──────── プログラムを実行
```

	A	B	C	D	E		H	I	J
1	部門	小分類	当期売上	前期売上		ヘッダー行を追加して			
2	家具	テーブル	200	300		出力された			
3	家具	座椅子	200	200					
4	家具	ベッド	225	200					
5	ファブリック	時計	70	60					
6	ファブリック	カバー	700	600					
7	ファブリック	マット	590	560					
8	ファブリック	クッション	750	780					
9	キャラクター	ぬいぐるみ	100	110					
10	キャラクター	バッグ	1340	1240					
11	キャラクター	文房具	550	540					
12	キッチン	マグカップ	400	300					
13	キッチン	ボトル	450	380					
14	キッチン	カトラリー	230	197					
15	キッチン	食器	220	210					

　ヘッダー行がないCSVファイルの場合、pandasのread_csvメソッドのheader引数をNoneにします。読み込んだデータにヘッダー行を追加したい場合は、names引数を使用します。

```
pd.read_csv(CSVファイル名, encoding=読み取り時に使用する文字コード, header=None, names=ヘッダー行)
```

header_csv.py

```
01  import pandas as pd
02  from openpyxl import Workbook
03  from openpyxl.utils.dataframe import dataframe_to_rows
04
05  wb = Workbook()
```

```
06  ws = wb.active
07
08  df = pd.read_csv(
09      "uriage_without_header.csv",
10      encoding="utf-8",
11      header=None,
12      names=["部門", "小分類", "当期売上", "前期売上"],
13  )
14
15  for row in dataframe_to_rows(df, index=None, header=True):
16      ws.append(row)
17
18  wb.save("売上高.xlsx")
```

　サンプルプログラムではread_csvメソッドで"uriage_without_header.csv"を読み込み、names引数でヘッダー行を追加しています。

　そのあとdataframe_to_rows関数を呼び出しますが、ここにもheader引数がありますね。このheader引数は、渡されたDataFrameオブジェクトのヘッダー行を取得するかどうかを指定するものです。そのためTrueにしておかないと、read_csvメソッドでせっかく追加したヘッダー行["部門", "小分類", "当期売上", "前期売上"]が取得されません。

☑ 必要な列のみ取得する方法

　pandasの機能を使って、集計や加工を行う方法を紹介していきます。ここでは、CSVファイルの必要な列だけをExcelに出力する方法を解説します。サンプルプログラムでは、uriage.csvの「小分類」列と「当期売上」列のみを取得します。

```
> python selectcolumn_csv.py ─────── プログラムを実行
```

	A	B	C	D	E	F		J
1	小分類	当期売上					「小分類」列と「当期売上」	
2	テーブル	200					列のみが出力された	
3	座椅子	200						
4	ベッド	225						
5	時計	70						
6	カバー	700						
7	マット	590						
8	クッション	750						
9	ぬいぐるみ	100						
10	バッグ	1340						
11	文房具	550						

DataFrameオブジェクトに列名を指定すると、その列のみを取得できます。列を複数指定する場合は、列名をリストで渡します。

```
df[列名]
```

　それではサンプルプログラムを見てみましょう。

selectcolumn_csv.py

```
01  import pandas as pd
02  from openpyxl import Workbook
03  from openpyxl.utils.dataframe import dataframe_to_rows
04
05  wb = Workbook()
06  ws = wb.active
07
08  df = pd.read_csv("uriage.csv", encoding="utf-8")
09
10  touki_df = df[["小分類", "当期売上"]]    ——「小分類」列と「当期売上」列のみを取得
11
12  for row in dataframe_to_rows(touki_df, index=None, header=True):
13      ws.append(row)
14
15  wb.save("売上高.xlsx")
```

　DataFrameに「小分類」列と「当期売上」列をリストで指定して、2つの列を取得しています。

☑ 列ごとの合計値を求める方法

　pandasには、列の合計値や平均値などを求めるさまざまなメソッドが用意されています。ここでは、CSVファイルの列ごとの合計値を求める方法を紹介します。合計値を求める列は、uriage.csvの「当期売上」列とします。

```
> python sum_csv.py ——  プログラムを実行
```

	A	B	C	D	E	F
1	6025					
2						
3						
4						
5						

「当期売上」列の合計値が設定された

DataFrameオブジェクトで列名を指定すると、その列のみ取得できることはすでに解説しました。この取得した列でSeries.sumメソッドを呼び出すと、その列の合計値が求められます。

```
df[列名].sum()
```

　Seriesとは、DataFrameオブジェクトの個々の列を表すオブジェクトのことです。Seriesオブジェクトには、列を集計するときに使用できるさまざまなメソッドがあります。よく使われるものをまとめます。

メソッド	説明
count()	要素の個数
max()	最大値
min()	最小値
mean()	平均値
median()	中央値
std()	標準偏差
sum()	合計値

　それではサンプルプログラムを見てみましょう。

sum_csv.py

```
01  import pandas as pd
02  from openpyxl import Workbook
03
04  wb = Workbook()
05  ws = wb.active
06
07  df = pd.read_csv("uriage.csv", encoding="utf-8")
08
09  ws["A1"] = df["当期売上"].sum()        「当期売上」列の合計値
10
11  wb.save("売上高.xlsx")
```

　先ほど解説したsumメソッドを用いて、合計値を求めています。

☑ 条件に一致した行を取得する方法

　読み込んだCSVファイルのうち、条件に一致したデータを取得する方法を紹介します。ここでは、uriage.csvの「部門」列と「当期売上」列に対して条件を指定します。

	A	B	C	D	E	F G H
1	部門	小分類	当期売上	前期売上		「当期売上」列が100以上、
2	ファブリック	カバー	700	600		かつ「部門」列が「ファブリ
3	ファブリック	マット	590	560	●──	ック」または「キャラクター」
4	ファブリック	クッション	750	780		の列のみ出力された
5	キャラクター	ぬいぐるみ	100	110		
6	キャラクター	バッグ	1340	1240		
7	キャラクター	文房具	550	540		
8						

DataFrameオブジェクトに対して演算子を用いることで、データ抽出ができます。たとえば、○○以上のデータを取得する場合は、次のように記述できます。

```
df[列名] >= 値
```

また、**DataFrame.isinメソッド**を用いると、複数の値のどれかに一致するデータのみを取得できます。

```
df[列名].isin([値1, 値2,……])
```

selectdf_csv.py

```python
01  import pandas as pd
02  from openpyxl import Workbook
03  from openpyxl.utils.dataframe import dataframe_to_rows
04
05  wb = Workbook()
06  ws = wb.active
07
08  df = pd.read_csv("uriage.csv", encoding="utf-8")
09
10  select_df = df[
11      (df["当期売上"] >= 100) & (df["部門"].isin(["ファブリック", "キャラクター"]))
12  ]
13
14  for row in dataframe_to_rows(select_df, index=None, header=True):
15      ws.append(row)
16
17  wb.save("売上高.xlsx")
```

DataFrameに対して2つの条件を指定しています。1つ目は「当期売上」列が100以上であること、2つ目は「部門」列が「ファブリック」または「キャラクター」であることです。この2つの条件を満たすデータを取得するために、1つ目の条件「df ["当期売上"] >= 100」と2つ目の条件「df["部門"].isin(["ファブリック", "キャラクター"])」に、ANDを表す演算子「&」を用いています。

☑ 列を追加する方法

読み込んだCSVファイルに、列を追加する方法を紹介します。計算結果を新たな列として追加したい場合は、pandasで事前に追加しておくと便利です。

```
> python addcolumn_csv.py ——————— プログラムを実行
```

	A	B	C	D	E	F	G	H	I	J	K
1	部門	小分類	当期売上	前期売上	前年比						
2	家具	テーブル	200	300	-100						
3	家具	座椅子	200	200	0						
4	家具	ベッド	225	200	25						
5	ファブリック	時計	70	60	10						
6	ファブリック	カバー	700	600	100						
7	ファブリック	マット	590	560	30						
8	ファブリック	クッション	750	780	-30						
9	キャラクター	ぬいぐるみ	100	110	-10						
10	キャラクター	バッグ	1340	1240	100						
11	キャラクター	文房具	550	540	10						
12	キッチン	マグカップ	400	300	100						
13	キッチン	ボトル	450	380	70						
14	キッチン	カトラリー	230	197	33						
15	キッチン	食器	220	210	10						
16											
17											
18											

「前年比」列がE列に追加された

列を追加するには、追加する列名を指定して値を設定します。

```
df[追加する列名] = 値
```

addcolumn_csv.py

```
01  import pandas as pd
02  from openpyxl import Workbook
03  from openpyxl.utils.dataframe import dataframe_to_rows
04
05  wb = Workbook()
```

```
06  ws = wb.active
07
08  df = pd.read_csv("uriage.csv", encoding="utf-8")
09
10  df["前年比"] = df["当期売上"] - df["前期売上"]
11
12  for row in dataframe_to_rows(df, index=None, header=True):
13      ws.append(row)
14
15  wb.save("売上高.xlsx")
```

　「当期売上」列から「前期売上」列を引いた値を表す、「前年比」列を追加しています。DataFrameから取得した列のデータは計算ができるので、「df["当期売上"] - df["前期売上"]」と記述することで、「当期売上」列から「前期売上」列を引いた値を取得できます。

◰ ExcelのブックをCSVファイルに出力する方法

　CSVファイルを処理して、Excelに出力する方法を紹介してきました。ここでは逆に、ExcelのブックをCSVファイルに出力する方法を紹介します。もともとのデータがExcelのときは、他の人やシステムにデータを渡す際にCSVファイルに出力したいケースがあるでしょう。CSVファイルへの出力も、pandasで簡単に実現できます。

	A	B	C	D	E	F	G	H
1	部門	小分類	当期売上	前期売上				
2	家具	テーブル	200	300				
3	家具	座椅子	200	200				
4	家具	ベッド	225	200				
5	ファブリック	時計	70	60				
6	ファブリック	カバー	700	600				
7	ファブリック	マット	590	560				
8	ファブリック	クッション	750	780				
9	キャラクター	ぬいぐるみ	100	110				
10	キャラクター	バッグ	1340	1240				
11								

```
> python excel_to_csv.py ──────  プログラムを実行
```

uriage_jisseki.csv

01	部門,小分類,当期売上,前期売上
02	家具,テーブル,200,300
03	家具,座椅子,200,200
04	家具,ベッド,225,200
05	ファブリック,時計,70,60
06	ファブリック,カバー,700,600
07	ファブリック,マット,590,560
08	ファブリック,クッション,750,780
09	キャラクター,ぬいぐるみ,100,110
10	キャラクター,バッグ,1340,1240

Excelのデータがuriage_jisseki.csvに出力された

ブックをCSVファイルにするには、読み込んだExcelのデータをDataFrameオブジェクトにする必要があります。リストや辞書形式のデータをDataFrameオブジェクトにするには、**pandas.DataFrameメソッド**を使います。

```
pd.DataFrame(リストや辞書形式のデータ)
```

DataFrameオブジェクトを作成したら、**DataFrame.to_csvメソッド**でCSVファイルを作成します。

```
df.to_csv(CSVファイル名, header=False,
          index=False, encoding=出力時に使用する文字コード)
```

それではサンプルプログラムを見てみましょう。

excel_to_csv.py

```
01  import pandas as pd
02  from openpyxl import load_workbook
03
04  wb = load_workbook("売上実績.xlsx")
05  ws = wb.active
06
07  df = pd.DataFrame(ws.values)
08  df.to_csv("uriage_jisseki.csv", header=False, index=False,
    encoding="utf-8")
```

シートでデータが入力されているセルをすべて取得するには、**Worksheet.values属性**を使用します。この値をDataFrameメソッドに渡すことで、DataFrameオブジェクトが作成されます。そして作成したDataFrameオブジェクトでto_csvメソッドを呼び出せば、CSVファイルができます。ここでは、作成するCSVのファイル名にuriage_jisseki.csvを指定しています。

054 JSONファイルをExcelに 出力して見やすくする

CSVファイル以外でデータのやりとりによく使われるデータ形式として、**JSON（JavaScript Object Notation）**があります。JSONはテキストベースのデータ形式であり、キーと値を:（コロン）でつないで記述します。キーとはその値が何を表すのか示すもので、項目の名前だと考えてください。

JSONはプログラムで処理しやすいため幅広く利用されていますが、人間が扱うには少々見づらい形式です。そのため、JSONファイルをExcelに出力して見やすくしてみましょう。JSONファイルの読み込みも、pandasで簡単に実現できます。本セクションでは、部門別の当期売上と前期売上データを持つJSONファイルを読み込みます。キーである「bumon」、「toukiuriage」、「zenkiuriage」にそれぞれ対応する値が:でつながれており、それがデータ行の数だけ記述されています。

uriage.json

```
01  [
02    {"bumon":"家具","toukiuriage":625,"zenkiuriage":700},
03    {"bumon":"ファブリック","toukiuriage":4015,"zenkiuriage":3800},
04    {"bumon":"キャラクター","toukiuriage":2890,"zenkiuriage":2670},
05    {"bumon":"キッチン","toukiuriage":1413,"zenkiuriage":1200},
06    {"bumon":"文房具","toukiuriage":820,"zenkiuriage":860},
07    {"bumon":"ライセンス","toukiuriage":600,"zenkiuriage":560}
08  ]
```

```
> python read_json.py ——— プログラムを実行
```

	A	B	C	D	E
1	bumon	toukiuriage	zenkiuriage		
2	家具	625	700		
3	ファブリック	4015	3800		
4	キャラクター	2890	2670		
5	キッチン	1413	1200		
6	文房具	820	860		
7	ライセンス	600	560		
8					
9					
10					

uriage.json が Excel に出力された

☑ JSONファイルを読み込む方法

JSONファイルを読み込むには**pandas.read_jsonメソッド**を使います。

```
pd.read_json(JSONファイル名,
             encoding=読み取り時に使用する文字コード)
```

read_jsonメソッドで読み込んだ場合も、DataFrameオブジェクトが作成されます。そのためDataFrameオブジェクトの機能やメソッドは、CSVファイルのときと同様に使用することができます。

☑ JSONファイルをExcelに出力する

それではサンプルプログラムを見てみましょう。

read_json.py

```
01  import pandas as pd
02  from openpyxl import Workbook
03  from openpyxl.utils.dataframe import dataframe_to_rows
04
05  wb = Workbook()
06  ws = wb.active
07
08  df = pd.read_json("uriage.json", encoding="utf-8")
                    ┗━━━━ JSONファイルを読み込む
09
10  for row in dataframe_to_rows(df, index=None, header=True):
11      ws.append(row)
12
13  wb.save("売上高.xlsx")
```

read_jsonメソッドでJSONファイルを読み込み、DataFrameオブジェクトを作成します。このDataFrameオブジェクトをdataframe_to_rows関数に渡せば、1行ずつデータを取得できます。JSONファイルはキーと値が「キー:値」の形式になっていますが、DataFrameオブジェクトにすると、このキーがCSVファイルでいうヘッダー行になります。uriage.jsonの場合、3つのキーがあるので「bumon,toukiuriage,zenkiuriage」というヘッダー行になります。このヘッダー行は、dataframe_to_rows関数でheader引数をTrueにすると取得することができます。

055 HTMLのテーブルを 抜き出してExcelに出力する

pandasでは、CSVファイルやJSONファイル以外に、HTMLのテーブル（表）を読み込むこともできます。たとえば、Webページに表示されているランキングや統計情報などのテーブルをコピーしてExcelに貼り付けるといった処理を、pandasで自動化できます。

pandasでHTMLを読み込むには、**lxml**、**Beautiful Soup 4**、**html5lib**という3つのライブラリが必要です。サードパーティ製パッケージなので、追加でインストールする必要があります。ターミナルで次のコマンドを入力し、インストールしておきましょう。

```
> pip install lxml beautifulsoup4 html5lib
```

本サンプルプログラムで読み込むHTMLは、サンプルとして用意した「sample_table.html」とします。「sample_table.html」は本のランキング表を、前期と後期で2つ表示するページです。

sample_table.html

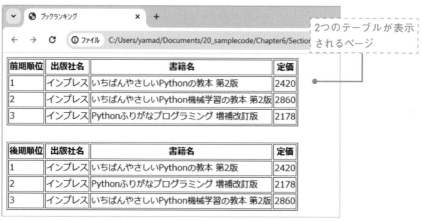

2つのテーブルが表示されるページ

```
> python read_html.py ──── プログラムを実行
```

2つ目のテーブルが
Excelに出力された

HTMLのテーブルを抜き出す方法

HTMLのテーブルを抜き出すには、**pandas.read_htmlメソッド**を使用します。

```
pd.read_html(URLやHTMLファイル名, match=抜き出す条件)
```

Webページには複数のテーブルが含まれることがあるので、read_htmlメソッドは、DataFrameオブジェクトのリストを返します。指定した文字列を含むテーブルのみを取得したい場合は、match引数にその文字列を指定します。

HTMLのテーブルを抜き出してExcelに出力する

それではサンプルプログラムを見てみましょう。

read_html.py
```
01  import pandas as pd
02  from openpyxl import Workbook
03  from openpyxl.utils.dataframe import dataframe_to_rows
04
05  wb = Workbook()
06  ws = wb.active
07  ws.column_dimensions["C"].width = 40
08
09  url = "./sample_table.html"
10  dfs = pd.read_html(url, match="後期")
11
12  for df in dfs:
13      for row in dataframe_to_rows(df, index=None, header=True):
14          ws.append(row)
15
16  wb.save("ランキング.xlsx")
```

read_htmlメソッドでHTMLを読み込み、HTMLのテーブルをDataFrame のリストとして取得します。match引数に「後期」を指定しているため、「後期」を含むテーブル（sample_table.htmlに2つ目に表示されているもの）が取得されます。そのあと、DataFrameのリストに対してfor文で繰り返し処理を行います。2つ目のfor文でdataframe_to_rows関数を使用すれば、テーブルのデータを1行ずつ取得することができます。

　read_htmlメソッドは、HTMLのテーブルでtheadタグまたはthタグが使われている行をヘッダー行としてDataFrameオブジェクトを作成します。sample_table.htmlではテーブルの1行目にtheadタグを使用しているため、「後期順位,出版社名,書籍名,定価」という値がヘッダー行となります。

056 全角・半角の表記ゆれをなくす

Excelで資料を作成していると、全角と半角が混在してしまうことがあります。1つの資料の中で、アルファベットや数字の全角、半角が統一されていないと、とても読みにくくなります。また、文章を入力しているときは半角で統一していたけど、あとで全角に統一したいといったケースもあるでしょう。Pythonには、表記ゆれの修正に利用できるメソッドが多数用意されています。これらをopenpyxlと合わせて使うことで、Excelで作成した資料の表記を統一しましょう。

6

ライブラリでテキストデータの処理を自動化する

■ アルファベットと数字を半角に統一する方法

	A	B	C	D
1	チェック項目			
2	スリープ を３０分に設定している			
3	ｍｉｃｒｏｓｏｆｔｅｘｃｅｌ ２０２１をｲﾝｽﾄｰﾙしている			
4				
5				
6				
7				
8				
9				

アルファベットと数字が全角、カタカナが半角の状態

```
> python normalize_sheet.py ──── プログラムを実行
```

	A	B	C	D
1	チェック項目			
2	スリープを30分に設定している			
3	microsoftexcel 2021をインストールしている			
4				
5				
6				
7				
8				
9				

アルファベットと数字が半角、カタカナが全角に統一された

アルファベットと数字を半角に統一するには、Pythonの標準ライブラリである**unicodedata**の**normalizeメソッド**を使います。unicodedataは標準ライブラリなので、追加でインストールする必要はありません。

```
unicodedata.normalize("NFKC", 文字列)
```

　normalizeメソッドに"NFKC"という文字列を指定することで、文字列が以下の通りに変換されます。

- 半角カタカナ→全角カタカナ
- 全角アルファベット→半角アルファベット
- 全角数字→半角数字

　それではサンプルプログラムを見てみましょう。

normalize_sheet.py

```
01  import unicodedata
02
03  from openpyxl import load_workbook
04
05  wb = load_workbook("チェックリスト_1.xlsx")
06  ws = wb.active
07
08  for row in ws.iter_rows(min_row=2, max_row=ws.max_row):
09      value = row[0].value
10      if value is not None:          文字が入力されているセルのみ取得
11          row[0].value = unicodedata.normalize("NFKC", value)
12
13  wb.save("チェックリスト_1_変更後.xlsx")
```

　normalizeメソッドで文字列を変換しています。文字が入力されていないセルは変換する必要がないので、value変数がNoneでないことを判定してから、normalizeメソッドを呼び出します。

normalizeメソッドの引数に"NFKC"という文字列を指定しました。"NFKC"とは**Unicode正規化**における正規化形式の1つです。正規化形式には、"NFC"、"NFD"、"NFKD"という形式も指定できます。ただし、"NFKC"以外の正規化形式を業務で使う機会はあまりないでしょう。サンプルプログラムで紹介したような半角と全角の統一を行いたい場合は、"NFKC"を指定しておけば問題ありません。

- normalizeメソッド
  https://docs.python.org/ja/3/library/unicodedata.html

Unicode正規化とは、等価な意味を持つ文字の表記を統一することです。たとえば、数字の「1」には半角と全角がありますが、両方とも意味としては数字の「1」を表しています。こういった表記を統一しておかないと、想定した検索結果が得られないことがあります。その場合に、normalizeメソッドを使ってUnicode正規化を行います。

☑ 大文字と小文字を統一する方法

	A	B	C	D	E
1	チェック項目				
2	MICROSOFT excelをインストールしている				
3	microsoft WORDをインストールしている				
4					
5					
6					

アルファベットの大文字と小文字が混ざっている状態

```
> python title_sheet.py  ――――  プログラムを実行
```

	A	B	C	D	E
1	チェック項目				
2	Microsoft Excelをインストールしている				
3	Microsoft Wordをインストールしている				
4					
5					
6					

単語の先頭のみ大文字、あとは小文字になった

Pythonには、大文字と小文字を変換する文字列メソッドが多数用意されています。次にまとめましょう。

メソッド	説明
str.upper()	大文字に変換。たとえばexcelの場合、EXCELに変換される
str.lower()	小文字に変換。たとえばEXCELの場合、excelに変換される
str.capitalize()	先頭1文字を大文字に変換。ほかは小文字に変換。たとえばmicrosoft excelの場合、Microsoft excelに変換される
str.title()	単語の先頭1文字を大文字に変換。ほかは小文字に変換。たとえばmicrosoft excelの場合、Microsoft Excelに変換される
str.swapcase()	大文字を小文字に、小文字を大文字に変換。たとえばExcelの場合、eXCELに変換される

それではサンプルプログラムを見てみましょう。

title_sheet.py

```
01  from openpyxl import load_workbook
02
03  wb = load_workbook("チェックリスト_2.xlsx")
04  ws = wb.active
05
06  for row in ws.iter_rows(min_row=2, max_row=ws.max_row):
07      value = row[0].value
08      if value is not None:
09          row[0].value = value.title()  ——  単語の先頭1文字を大文字に変換
10
11  wb.save("チェックリスト_2_変更後.xlsx")
```

titleメソッドで、単語の先頭1文字を大文字、ほかは小文字に変換しています。

ここもポイント | **jaconvライブラリを使う方法**

これまで紹介したメソッドではできない変換（半角数字を全角数字にするなど）には、**jaconv**ライブラリを利用可能です。jaconvは日本語に特化した拡張がされているため、ひらがなやカタカナなどの変換にも対応しています。なお、サードパーティ製パッケージなので、利用の際は追加でインストールする必要があります。

- jaconv
  https://pypi.org/project/jaconv/

Chapter

7

- - - - - - - - - - - -

ライブラリでデータの
収集を自動化する

057 | Webスクレイピングで収集した データをまとめて資料を作る

■ Webスクレイピングとは

Webスクレイピングとは、Web上のデータ（テキストや画像）を抽出する技術のことです。Webスクレイピングを使うと、あるWebサイトの情報を取得したいときに、手作業でテキストをコピーする必要がなくなります。PythonでWebスクレイピングを行うには、HTMLやXMLからデータを抽出するためのライブラリである**Beautiful Soup 4**を使用します。本セクションではBeautiful Soup 4を組み合わせることで、Webページの情報をExcelに出力する方法を解説していきます。Webページに表示されているランキングや統計情報を利用して、Excelで資料を作りたいときなどに活用できるでしょう。なお、本書はPythonによるExcel操作の解説書であるため、Web技術やHTMLの基礎的な知識についての解説は割愛します。

- **Beautiful Soup 4公式ドキュメント**
  https://www.crummy.com/software/BeautifulSoup/bs4/doc

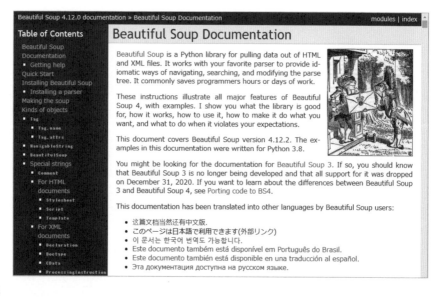

Beautiful Soup 4はサードパーティ製パッケージなので、追加でインストールする必要があります。P.220でインストールしていない場合は、ターミナルで次のコマンドを入力し、　インストールしておきましょう。「beautifulsoup」の最後に「4」を記述する必要があるので、注意してください。

```
> pip install beautifulsoup4
```

　また、HTTPリクエストの送受信を行う**Requestsライブラリ**もあわせて使用するので、インストールしておきましょう。

```
> pip install requests
```

◪ Webスクレイピングを行う際の注意点

　Webスクレイピングの手順を説明する前に、Webスクレイピングを行う際の注意点を紹介しましょう。

• Webスクレイピングが禁止されているWebサイトに対しては行わないこと

　Webスクレイピングは、Webサイトによっては禁止されている場合があります。そのため実施前に必ず、対象のWebサイトの利用規約を確認しましょう。たとえば有名なSNSであるX（旧Twitter）は、スクレイピングを行うことが禁止されています。

• Webサイトに負荷をかけない範囲で利用すること

　Webスクレイピングは大量のリクエストを送ることも可能なので、特定のWebサイトのサーバーに負荷をかける可能性があります。そのため、取得する情報量やWebスクレイピングを行う頻度は、必要最低限のレベルに留めましょう。1秒に1リクエスト程度が目安です。

• Webスクレイピングで取得したデータは個人の利用範囲に留めること

　スクレイピングを行うWebサイトのデータ（テキスト、画像）は著作権保護されている場合があります。そのため、二次利用や商業利用には、事前に許可が必要となる場合があります。

✓ Webページ上の特定のタグを取得する方法

　では、実際にWebスクレイピングを行ってみましょう。ここでは、Webサイト上の特定のタグを取得する方法を紹介します。本サンプルプログラムは、Beautiful Soup公式サイトのトップページから、「Getting help」のHTMLタグをスクレイピングします。

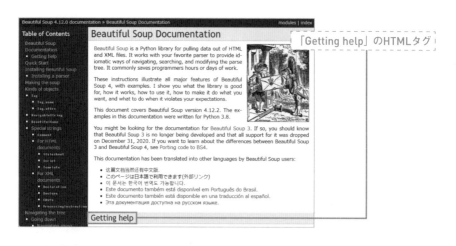

```
> python booklist_get.py ─────── プログラムを実行
<h2>Getting help<a class="headerlink" href="#getting-help" titl
e="Link to this heading">¶</a></h2>
Getting help¶ ──────
```

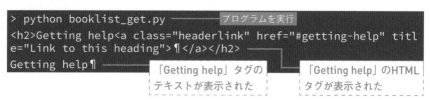

　まずは、対象のWebサイトのページ（HTML）を取得する必要があるため、**Requestsライブラリ**を使用します。Requestsは、PythonでHTTPリクエストを送ったりレスポンスを取得したりするのに使われるライブラリです。ブラウザの代わりにWebサイトへアクセスして、Webページの情報を取得します。

　requests.get関数で対象のURLを指定すると、レスポンスが返されます。そのレスポンスに対してresponse.text属性を使用すると、Webページの情報が取得できます。

```
r = requests.get(WebサイトのURL)
r.text
```

Webページを取得したら、**BeautifulSoupオブジェクト**を生成してその
HTMLを解析します。

```
soup = BeautifulSoup(取得したWebページ, "html.parser")
```

　作成したBeautifulSoupオブジェクトから、そのWebページのデータを取
得することができます。取得する際に使える属性とメソッドを以下にまとめ
ます。

属性とメソッド	説明
soup.タグ名	対象のタグのうち1つ目を取得する。たとえば、soup.aとすると、そのWebページの1つ目のaタグを取得できる
soup.タグ名.text	対象のタグのテキストを取得する。たとえば、soup.p.textとすると、pタグのテキストが取得できる
soup.タグ名[属性名]	対象のタグで、対象の属性を取得する。たとえば、soup.p["class"]とすると、pタグのclass属性が取得できる
soup.find(タグ名)	対象のタグの1つ目を取得する
soup.find_all(タグ名)	対象のタグをすべて取得する

　それではサンプルプログラムを見てみましょう。

booklist_get.py

```
01  import requests
02  from bs4 import BeautifulSoup
03
04  r = requests.get("https://www.crummy.com/software/
    BeautifulSoup/bs4/doc/")
05  soup = BeautifulSoup(r.text, "html.parser")
06  print(soup.find("h2"))        最初のh2タグを取得
07  print(soup.find("h2").text)   最初のh2タグのテキストを取得
```

　先ほど解説したget関数を用いてBeautiful Soup公式サイトのWebページを
取得し、BeautifulSoupオブジェクトを作成します。BeautifulSoupオブジェ
クトから特定のタグを取得するのに、findメソッドを使用しています。1つ
目のprint関数にfind("h2")と指定しているので、Webページにあるh2タグの
1つ目（「Getting help」のタグ）の情報が画面に表示されます。そして、2つ
目のprint関数にはfind("h2").textと指定しているので、取得したh2タグ内の
テキストも画面に表示されます。

◩ Webページ上の画像を取得する方法

　次は、Webページ上の画像を取得してみましょう。ここでは、Beautiful Soup公式サイトのトップページに表示されている画像をスクレイピングします。

Beautiful Soup公式サイトのトップページに表示されている画像

```
> python booklist_img.py ──────  プログラムを実行
```

| A1 | × ✓ fx | https://www.crummy.com/software/BeautifulSoup/bs4/doc/_images/6.1.jpg |

画像のURLと画像がExcelに出力された

　前のbooklist_get.pyでは、特定のタグを取得するのにfindメソッドを使用しました。しかし、Beautiful Soupでは、要素の取り出しに、**CSSセレクター**を使う方法もあります。本サンプルプログラムでは、作成したBeautifulSoupオブジェクトでCSSセレクターを指定することで、そのWebページからテキストや画像を抽出します。

```
soup.select(CSSセレクター)
```

　CSSセレクターは、CSS（Webページのデザインを指定するための言語）を適用する対象のHTMLタグを指定するのに使用しますが、Webスクレイピングで特定のタグを抽出したいときに、そのタグを指定するのにも使用できます。
　たとえば、以下のHTMLを考えてみましょう。

```
<body>
  <div class ="block-wrap">
    <div class="block-content">
    </div>
  </div>
</body>
```

　この場合、class属性が「block-content」のdivタグのCSSセレクターは以下のように表せます。CSSセレクターは、対象のタグに辿りつくまでのタグとclass属性の値（クラス名）を「>」でつないで表します。「>」はHTMLの子要素、「.」はクラス名を意味します。

```
body > div.block-wrap > div.block-content
```

　findメソッドとselectメソッドは、両方とも要素を取り出すメソッドなので、どちらを使っても構いません。慣れや好みで選ぶとよいでしょう。
　なお、CSSセレクターを指定して取得できた情報のうち、タグを取り除いたテキストのみを取得するには、text属性を使用します。

取得したタグ情報.text

7

ライブラリでデータの収集を自動化する

233

CSSセレクターを調べる方法

　CSSセレクターは、ブラウザの開発者用ツールで簡単に調べることができます。Beautiful Soup公式サイトのトップページに表示されている画像の、CSSセレクターを取得してみましょう。使用するブラウザはChromeとします。

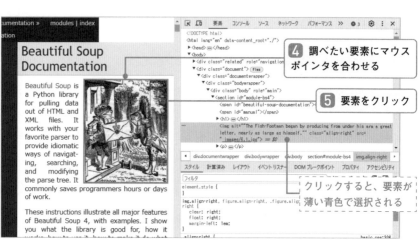

7 選択されている要素を
右クリック

7 [コピー]→ [selector
をコピー] の順にクリック

要素のCSSセレクターが
コピーされる

コピーされたCSSセレクターを見てみましょう。

```
#module-bs4 > img
```

#は要素のidを表します。つまり上記のCSSセレクターは、idが「module-bs4」の要素の中の、imgタグを表します。開発者用ツールでよく見てみましょう。

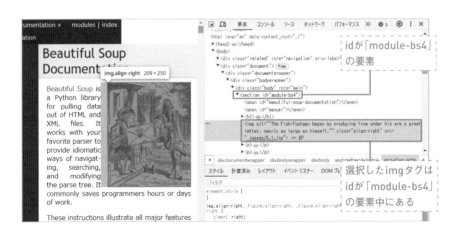

idが「module-bs4」
の要素

選択したimgタグは
idが「module-bs4」
の要素中にある

> **ここもポイント** | **CSSセレクターは手直しが必要なこともある**
>
> P.235で紹介したCSSセレクターは何も修正してはいませんが、Webサイトによって
> は、コピーされたCSSセレクターがとても長い場合もあります。その場合は読みづ
> らいので、必要なところだけを取り出すとよいでしょう。その場合は、取得したい
> タグに辿りつくのに必要な値はどれか、検討してみるとよいでしょう。検討の際は、
> CSSセレクターで取得した値をprint関数で画面に出力して、欲しいタグが取得でき
> ているかを確認することをおすすめします。

画像を取得する方法

　Webページ上の画像を取得するには、imgタグのsrc属性に設定されてい
る画像のURLを取得し、それを利用してダウンロードします。

　imgタグのsrc属性の値は、角カッコの中で属性を指定することで取得しま
す。

取得したタグ情報["src"]

　その画像のURLでRequests.get関数を呼び出すと、画像を取得することが
できます。

requests.get(画像のURL)

　ここで指定する画像のURLは相対パスではなく、絶対パスでないと画像が
取得できないので注意しましょう。

CSSセレクターを使いテキストと画像を取得する

　それではサンプルプログラムを見てみましょう。なお、Pillow（P.191参照）
をインストールしていないとエラーが発生するので注意してください。

booklist_img.py

```
01  from io import BytesIO
02  from urllib import parse
03
04  import requests
05  from bs4 import BeautifulSoup
06  from openpyxl import Workbook
07  from openpyxl.drawing.image import Image
08
09  url = "https://www.crummy.com/software/BeautifulSoup/bs4/doc/"
```

```
10   r = requests.get(url)
11   soup = BeautifulSoup(r.text, "html.parser")
12   bs4img = soup.select("#module-bs4 > img")
13
14   wb = Workbook()
15   ws = wb.active
16   ws.column_dimensions["A"].width = 60
17   ws.column_dimensions["B"].width = 30
18
19   image_url = parse.urljoin(url, bs4img[0]["src"])  ── imgタグのsrc
                                                          属性を取得して
20   ws["A1"] = image_url                                 絶対パスを生成
21
22   image_r = requests.get(image_url)  ──────────── 画像を取得
23   image = Image(BytesIO(image_r.content))  ────── 取得した画像を表すImage
                                                       オブジェクトを生成
24
25   image.width = 80
26   image.height = 120
27   ws.add_image(image, ws["B1"].coordinate)  ───── 取得した画像をブックに挿入
28
29   wb.save("画像.xlsx")
```

　作成したBeautifulSoupオブジェクトにCSSセレクターを指定して、画像の
みを抽出しています。imgタグのsrc属性を取得するには、bs4img[0]["src"]と
指定します。なお、Beautiful SoupのWebページでは、imgタグのsrc属性か
ら取得した値が「_images/6.1.jpg」のように相対パスとなります。そのため、
urllibモジュールの**urljoin関数**を用いて絶対パスを生成しています。

　この絶対パスを用いてrequests.get()で取得した画像は、**ioモジュール**の
BytesIOオブジェクトを使用して、Imageオブジェクトにします。このImage
オブジェクトを、P.191で紹介した手順を用いて、ブックに挿入しています。

ここもポイント ┃ Webサイトの仕様が変わった場合

本書で紹介しているプログラムは、2024年6月時点で動作検証したものです。対象
のWebページの仕様が変われば動作しなくなることもあります。うまく動かない場
合は、最新のCSSセレクターをコピーし直してプログラムに反映してみてください。

058 ExcelからWebページへの転記を自動化する

前のセクションでは、Beautiful Soup 4を使ってWebスクレイピングを行いました。ここでは、ブラウザで行う操作を自動化する方法を紹介しましょう。ブラウザで行う操作を自動化するには**Seleniumライブラリ**を使用します。

Seleniumを使うと、Webページのフォームに値を入力したりボタンをクリックしたりといったブラウザの操作を、プログラムで行うことができます。そのため、特定のWebサイトで値を入力して登録ボタンをクリックするといった、人間がブラウザで行う操作を自動化したいときに使います。対してBeautiful Soup 4は、Webページ（HTML）を解析してデータを抽出するためのライブラリです。ブラウザ操作の自動化にはSelenium、Webページのデータ抽出にはBeautiful Soup 4、というように使い分けましょう。ただし、JavaScriptなどを用いて生成されたWebページの場合、Beautiful Soup 4では欲しい情報を取得できない場合があります。その際は、Seleniumを使用しましょう。

本セクションでは、Seleniumを組み合わせることでExcelの内容をWebページに転記する方法を解説していきます。

- **Selenium公式ドキュメント**
  https://www.selenium.dev/ja/documentation/

Seleniumはサードパーティ製パッケージなので、追加でインストールする必要があります。ターミナルで次のコマンドを入力し、インストールしておきましょう。

```
> pip install selenium
```

☑ ChromeDriverのインストール

Seleniumでブラウザを操作するには、ブラウザに接続するためのドライバーが必要です。ドライバーはブラウザごとに用意されており、Chromeの場合はChromeDriverというドライバーをインストールします。また、使用しているChromeのバージョンに合わせてインストールする必要があるので、Chromeのバージョンを確認するところから始めましょう。本書では、Windowsでの手順を紹介します。

なお、Chromeが最新バージョンでなかった場合は、手順2の際に自動でアップデートが始まります。その場合は、アップデートが完了したら、

Chromeを再起動してください。

- ChromeDriver インストールページ
  https://googlechromelabs.github.io/chrome-for-testing/

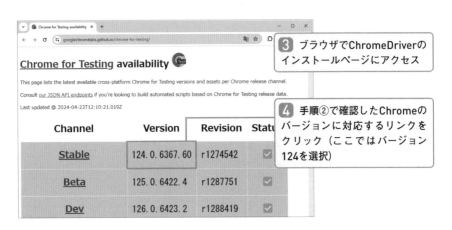

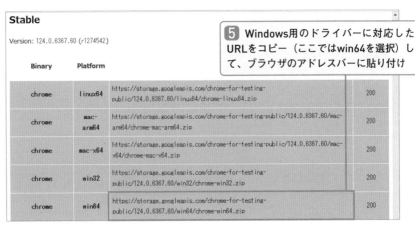

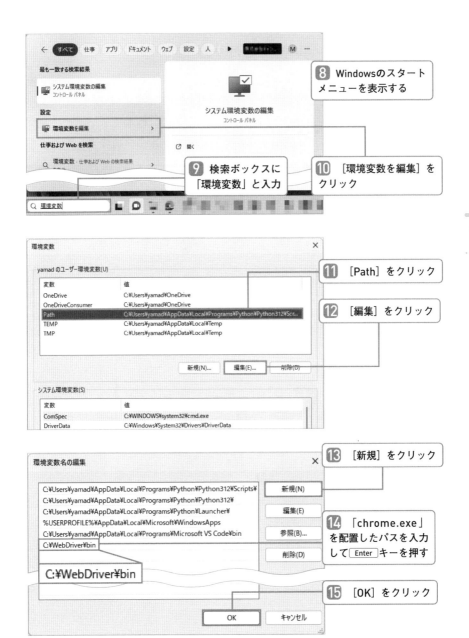

8 Windowsのスタートメニューを表示する

9 検索ボックスに「環境変数」と入力

10 [環境変数を編集]をクリック

11 [Path]をクリック

12 [編集]をクリック

13 [新規]をクリック

14 「chrome.exe」を配置したパスを入力してEnterキーを押す

15 [OK]をクリック

C:¥WebDriver¥bin

すでにターミナルを起動していた場合は、追加した環境変数を読み込むために、ターミナルを開き直しておきましょう。

◢ SeleniumでGoogle検索を行う方法

　ドライバーのインストールが終わったら、ブラウザでGoogle検索を行う操作を自動化してみましょう。本サンプルプログラムを実行すると、ChromeでGoogleのWebページが開き、「Wikipedia」と入力、検索ボタンがクリックされます。そして、1件目に表示されたページタイトルが画面に表示されます。

```
> python sendkey_chrome.py ───── プログラムを実行
```

　プログラム実行時、環境によってはファイアウォールでブロックされる場合があります。そのときは、[アクセスを許可する] をクリックしましょう。

1件目に表示されたページタイトル
が、ターミナルの画面に表示された

　Seleniumでブラウザ（Chrome）を操作するには、Chromeオブジェクト
を作成します。

```
driver = Chrome()
```

　作成したChromeオブジェクトに対して、**WebDriver.getメソッド**で対象の
URLを指定します。

```
driver.get(URL)
```

　対象のURLを開いたら、**WebDriver.find_elementメソッド**で取得したい要
素を指定します。

```
element = driver.find_element(By.NAME, 取得したい要素のname属
性)
```

　「By.NAME」は、name属性で要素を取得するという意味です。id属性や
タグ名を指定したい場合は、次の値を指定します。

指定する値	説明
By.ID	id属性を指定して要素を取得する
By.TAG_NAME	タグ名を指定して要素を取得する
By.CSS_SELECTOR	CSSセレクターを指定して要素を取得する
By.CLASS_NAME	クラス名を指定して要素を取得する

　取得した要素に値を入力するには、**WebElement.send_keysメソッド**を使
用します。

```
element.send_keys(入力する値)
```

　入力した値をサーバーに送信するには、**WebElement.submitメソッド**を使
用します。

```
element.submit()
```

　それではサンプルプログラムを見てみましょう。

7

ライブラリでデータの収集を自動化する

243

sendkey_chrome.py

```
01  import time
02
03  from selenium.webdriver import Chrome
04  from selenium.webdriver.common.by import By
05
06  try:
07      driver = Chrome()
08      driver.get("https://www.google.co.jp/") ── Googleへアクセス
09
10      element = driver.find_element(By.NAME, "q")
                                        └── name属性がqの要素を取得
11      element.send_keys("Wikipedia") ── 「Wikipedia」を入力
12      element.submit() ── サブミット
13
14      time.sleep(10) ── 画面が表示されるまでを考慮し10秒待機
15
16      print(driver.find_element(By.TAG_NAME, "h3").text)
                                   └── 表示された検索結果の
17                                       ページタイトル
18  finally:
19      driver.quit()
```

　先ほど解説したメソッドを使い、Google検索を行います。Googleで検索キーワードを入力する要素のname属性はqなので、「driver.find_element(By.NAME, "q")」と指定します。検索結果のページで表示されたページタイトルはh3タグであるため、「driver.find_element(By.TAG_NAME, "h3").text」と記述して、テキストを取り出します。

　対象の処理が終わったら、必ずWebDriver.quitメソッドを呼び出します。作成したChromeオブジェクトはquitメソッドを呼び出さない限り、プロセスとして残り続けるためです。例外が発生したときにも必ず呼び出されるように、finally節の中で指定しましょう。

ここもポイント │ 要素取得のメソッド

もともと、Seleniumには、id属性を指定して要素を取得するfind_element_by_id（id属性）メソッドや、name属性を指定して要素を取得するfind_element_by_name（name属性）メソッドといった、find_element_byで始まるメソッドがいくつかありましたが、バージョン4.3.0で廃止されました。そのため、P.243にもあるように、find_element系メソッドを使いましょう。古いWeb記事などでfind_element_byで始まるメソッドを利用している例も多いので、調べる際は注意してください。

☑ Excelの値をWebページに転記する方法

　Excelで入力した値をコピー＆ペーストして、Webページに入力することがありませんか？　ここでは、sendkey_chrome.pyで解説した方法を応用し、Excel（勤怠.xlsx）の値をWebページに転記してみましょう。本来はWebサイトに対して行いますが、ここではサンプルとして用意した勤怠登録ページ（sample_form.html）に対して値を転記します。またこのページは、ローカルに配置します。勤怠登録ページのHTMLには、登録するボタンをクリックしたことがわかるように、クリックしたら「登録しました」というメッセージを表示する処理が入っています。

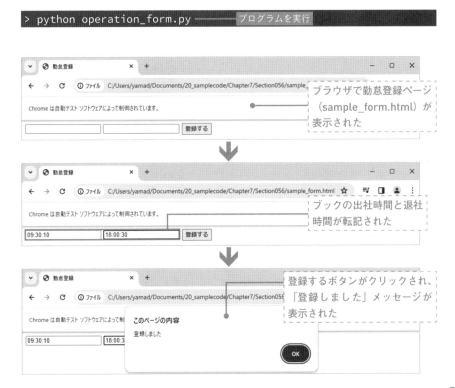

	A	B	C	D	E	F	G
1	日付	出社時間	退社時間				
2	2024/4/1	9:30:10	18:00:30				
3							

> ブックに出社時間、退社時間が入力されている

```
> python operation_form.py ——— プログラムを実行
```

> ブラウザで勤怠登録ページ（sample_form.html）が表示された

> ブックの出社時間と退社時間が転記された

> 登録するボタンがクリックされ、「登録しました」メッセージが表示された

それではサンプルプログラムを見てみましょう。

operation_form.py

```
01  import time
02  from pathlib import Path
03
04  from openpyxl import load_workbook
05  from selenium.webdriver import Chrome
06  from selenium.webdriver.common.by import By
07
08  wb = load_workbook("勤怠.xlsx", read_only=True)
09  ws = wb.active
10  start_time = ws["B2"].value
11  end_time = ws["C2"].value
12
13  try:
14      driver = Chrome()
15      html_path = Path("./sample_form.html").resolve()
16      driver.get(str(html_path))          sample_form.htmlを開く
17      time.sleep(5)
18
19      start = driver.find_element(By.ID, "start")
                                            左のテキストボックスを取得
20      start.send_keys(str(start_time))    出社時間を設定
21
22      end = driver.find_element(By.ID, "end")
                                            右のテキストボックスを取得
23      end.send_keys(str(end_time))        退社時間を設定
24
25      start.submit()                      サブミット
26      time.sleep(5)
27      wb.close()
28  finally:
29      driver.quit()
```

勤怠登録ページ（sample_form.html）の絶対パスを、Path.resolveメソッドを用いて取得します。取得した絶対パスをWebDriver.getメソッドに指定して、勤怠登録ページを開きます。Excelから取得した出社時間と退社時間を、id属性が「start」と「end」の要素にそれぞれ設定するために、find_elementメソッドで要素を取得しています。

✓ 操作対象のウィンドウを切り替える方法

Webサイトによっては操作中に別ウィンドウ（別タブ）でページを表示することがあります。しかし、そういう場合、Seleniumは自動的にウィンドウを切り替えることはなく、元のウィンドウのページに対して操作しようとします。そこで、複数のウィンドウがあるときに、操作対象を指定する方法を紹介しましょう。

今回使用するサンプルでは、呼び出し画面ページ（sample_window.html）の［開く］ボタンをクリックしたら、先ほどの勤怠登録ページが別ウィンドウで開くようにしています。そのあと、操作対象を途中で開いた勤怠登録ページに切り替えて、出社時間と退社時間を設定します。

> python change_window.py ─────── プログラムを実行

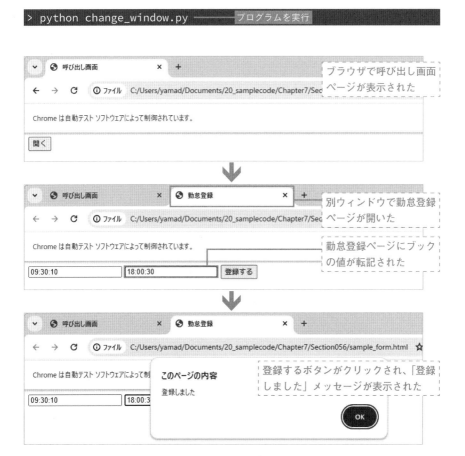

ブラウザで呼び出し画面ページが表示された

別ウィンドウで勤怠登録ページが開いた

勤怠登録ページにブックの値が転記された

登録するボタンがクリックされ、「登録しました」メッセージが表示された

操作対象のウィンドウを変更するには、まず今開かれているウィンドウを**WebDriver.window_handles属性**で取得します。

```
driver.window_handles
```

window_handles属性は、開かれているすべてのウィンドウのウィンドウハンドル（識別番号）を、リストで保持しています。リストには開いた順番でウィンドウハンドルが設定されているため、最後に開いたウィンドウはwindow_handles[-1]で取得できます。

操作対象にしたいウィンドウのウィンドウハンドルを取得したら、**WebDriver.switch_to.windowメソッド**にそのウィンドウハンドルを指定すると、操作するウィンドウを変更できます。

```
driver.switch_to.window(ウィンドウハンドル)
```

change_window.py

```
01  import time
02  from pathlib import Path
03
04  from openpyxl import load_workbook
05  from selenium.webdriver import Chrome
06  from selenium.webdriver.common.by import By
07
08  wb = load_workbook("勤怠.xlsx", read_only=True)
09  ws = wb.active
10  start_time = ws["B2"].value
11  end_time = ws["C2"].value
12
13  try:
14      driver = Chrome()
15      html_path = Path("./sample_window.html").resolve()
16      driver.get(str(html_path))
17      time.sleep(5)
18
19      driver.find_element(By.ID, "openwindow").click()
                        └── 開くボタンをクリック
20      time.sleep(5)
21
22      window_handles = driver.window_handles
                     └── 開かれているウィンドウを取得
23      driver.switch_to.window(window_handles[-1])
                        └── 直近で開いたウィンドウを操作対象に変更
```

```
24
25      start = driver.find_element(By.ID, "start")
                        └─勤怠登録ページに切り替わった状態
26      start.send_keys(str(start_time))
27
28      end = driver.find_element(By.ID, "end")
29      end.send_keys(str(end_time))
30
31      start.submit()
32      time.sleep(5)
33      wb.close()
34  finally:
35      driver.quit()
```

呼び出し画面ページ（sample_window.html）の開くボタンをクリックするために、**WebElement.clickメソッド**を使っています。submitメソッドはフォームを送信する場合に使いますが、要素をクリックしたい場合はclickメソッドを用いましょう。

［開く］ボタンをクリックすると別ウィンドウでページが開くため、そのウィンドウハンドルをwindow_handles[-1]で取得します。そのあとswitch_to.windowメソッドを呼び出すことで、操作対象のウィンドウを勤怠登録ページに切り替えています。

ここもポイント │ ページが表示されるまで確実に待つには？

本セクションで紹介したサンプルプログラムでは、ページを表示したり、サブミットをしたりしたあとに、time.sleep関数を呼び出しています。これは、ページが表示されるまでに少し時間がかかるため、プログラムを数秒待機させているのです。ただしこれだと、環境によっては待機時間が足りずにエラーが発生することがあります。そのため、繰り返し実行したい場合や動作を安定させたい場合は、「明示的な待機」をするようにしましょう。「明示的な待機」とは、特定の要素を含むウィンドウが表示されたら次の処理を行う、といった条件を指定することです。本書ではプログラムを簡潔にするために使用していませんが、必要に応じて、Seleniumの公式ドキュメントも参照することをおすすめします。

* **明示的な待機**
  https://www.selenium.dev/ja/documentation/webdriver/waits/

059 Web APIで収集したデータを まとめて資料を作る

Web APIという言葉を聞いたことがあるでしょうか。**API**とはApplication Programming Interfaceの略であり、システムやWebサイトが提供しているサービスを、ほかのコンピューターから呼び出すときの手順やデータ形式をまとめたものです。**Web API**とはこのAPIの中でも、Webで使われているプロトコル（HTTP）を使ってサービスを呼び出せるもののことです。

Web APIは、実にさまざまな企業やWebサイトから提供されています。たとえばGoogleでは、検索結果を取得できるCustom Search APIや、地図情報を提供するGoogle Maps Platform、メール機能を提供するGmail APIなどを公開しています。

またほかにも、大手通販サイトの楽天は、楽天市場の商品情報を取得できる「楽天商品検索API」を公開しており、大手検索サイトのYahoo！では、Yahoo！ショッピングやヤフオク！の情報を取得できるAPIを公開しています。Web APIを使うとさまざまなデータや機能を利用できるので、それを

利用して新しいサービスを提供したり、取得したデータを分析に活用したりすることができるのです。

- **楽天のWeb API**
  https://webservice.rakuten.co.jp/document/

- Yahoo！のWeb API
  https://developer.yahoo.co.jp/sitemap/

　Web APIの目的は、これまで紹介してきたWebスクレイピングやブラウザ操作の自動化と似ています。ただ、より大量のデータを取得したいときや、データの抽出をより詳細な条件で行いたい、システムに機能を組み込みたいといった場合は、Web APIを使用したほうが便利です。ですから、Webスクレイピングを行う前に、まず対象のWebサイトがWeb APIを公開していないかを調べてみることをおすすめします。

　本書では、GoogleのCustom Search APIをPythonから呼び出し、Google検索の結果を取得する方法を紹介します。

　また取得した検索結果は、Excelに出力して見やすくしてみましょう。

◤ Custom Search APIとは

　Googleには、検索エンジンを作成する「カスタム検索」というサービスがあります。「カスタム検索」は名前の通り、検索対象のWebサイト、画像検索やセーフサーチ（有害な情報を含むサイトを検索対象外にすること）を有効にするなどの設定をカスタムして、検索エンジンを作成できるサービスです。作成した検索エンジンは、検索フォームとして自分のWebサイトなどに配置できます。Googleの検索フォームが設置されているWebサイトを、見たことがある人は多いのではないでしょうか。

- **カスタム検索**
  https://developers.google.com/custom-search?hl=ja

　Custom Search APIは、この「カスタム検索」をプログラムから呼び出すためのAPIなのです。Custom Search APIを利用すると、「カスタム検索」の検索結果をプログラムから取得することが可能です。

　「カスタム検索」は、1日あたり100クエリまでは無料です。それ以上の利用は有料となり、1000クエリあたり5ドルとなります（2024年6月時点）。これから紹介するサンプルプログラムを実行するときも、1日に何度も実行すると無料枠を超える可能性があるので注意しましょう。

ここもポイント | Web APIも仕様は変わっていく

Webスクレイピングと同様で、Web APIの仕様も将来変わる可能性があります。本書で紹介するサンプルプログラムは、執筆時点で動作検証しているものです。サンプルプログラムが動かない場合は、最新のドキュメントも合わせて参照するようにしましょう。

- Custom Search API公式ドキュメント
  https://developers.google.com/custom-search/v1/overview

☑ Custom Search APIを使う準備をする

Custom Search APIを使うためには、いくつか事前準備が必要です。

google-api-python-clientのインストール

PythonからGoogleのWeb APIを呼び出すには、google-api-python-clientライブラリが必要です。google-api-python-clientはサードパーティ製パッケージなので、追加でインストールする必要があります。ターミナルで次のコマンドを入力し、インストールしておきましょう。

```
> pip install google-api-python-client
```

Google Cloudでプロジェクトを作成

GoogleのWeb APIを使うには、Google Cloudでプロジェクトを作成し、使用したいAPIを有効化、認証を行うためのAPIキーの取得が必要です。その際Googleアカウントが必要なので、持っていない場合はアカウントを作成しておきましょう。

- **Googleアカウントを作成**
  https://support.google.com/accounts/answer/27441?hl=ja

Googleアカウントが準備できたら、次の手順でプロジェクトを作成しましょう。なお、ここで解説する一連の手順は、執筆時点のものです。画面項目や手順は、将来変わる可能性があります。

- **Google Cloud**
  https://cloud.google.com

2 Googleのユーザー名を入力

ログイン

お客様の Google アカウントを使用

メールアドレスまたは電話番号
■■■■■■@gmail.com

メールアドレスを忘れた場合

3 [次へ] をクリック

ご自分のパソコンでない場合は、ゲストモードを使用して非公開でログインしてください。
ゲストモードの使い方の詳細

アカウントを作成　　　次へ

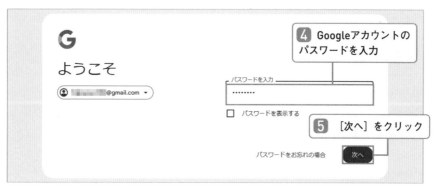

4 Googleアカウントの
パスワードを入力

ようこそ

■■■■■■@gmail.com ▼

パスワードを入力
••••••••

☐ パスワードを表示する

5 [次へ] をクリック

パスワードをお忘れの場合　　　次へ

Google Cloud　概要　ソリューション　プロダクト　料金　＞　Q　🌐 日本語 ▼　コンソール　⋮　🔵

お問い合わせ　　無料で利用開始

新規のお客様に、クレジット $300 をプレゼント。　→

6 [コンソール] をクリック

さあ、
新しく。
クラウドで。

The new way to cloud.

迅速なアプリの構築、生成 AI の活用、即時のデータ分析、
すべてが Google のセキュリティ レベルで実現。

無料で利用開始　　お問い合わせ

Out with the old. ▶
Cloud with the new.

Google Cloud
The new way to cloud.

7 [プロジェクトの選択] を
クリック

8 [新しいプロジェクト] を
クリック

9 必要に応じてプロジェクト
名に任意の名前を入力

10 [作成] をクリック

Custom Search APIを有効にする

　Google Cloudでプロジェクトを作成すると、Google Cloudのさまざまなサービスが使えるようになっています。次は、Custom Search APIを使うために、APIの有効化を行いましょう。

1 プロジェクトを選択しておく

2 Google Cloudのコンソールで、左上にあるメニュー→［APIとサービス］→［ライブラリ］の順にクリック

本番環境対応のスケーラブルなエンタープライズワークロード向けに Google Cloud を構成します。

GOOGLE CLOUD の設定

3 検索ボックスに「custom」と入力

4 ［Custom Search API］をクリック

5 ［有効にする］をクリック

256

APIキーの作成

　Custom Search APIを使うためには、認証を行うためのAPIキーが必要です。ここでは、APIキーを作成しましょう。

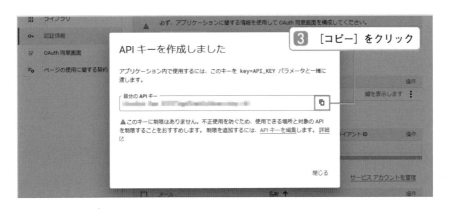

認証情報　　＋ 認証情報を作成　　🗑 削除　　↩ 削除した認証情報を復元

⬥ 有効な API とサービス
∭ ライブラリ
⛌ 認証情報
⇉ OAuth 同意画面
🖺 ページの使用に関する契約

有効な API にアクセスするための認証情報を作成します。詳細 ☒

⚠ 必ず、アプリケーションに関する情報を使用して
　　　同意画面を構成

先ほどの画面を閉じてしまった場合は、[鍵を表示します] をクリック

API キー

	名前	作成日 ↓	制限		操作
☐	⚠ API キー 1	2024/04/26	なし	鍵を表示します	⋮

OAuth 2.0 クライアント ID

	名前	作成日 ↓	種類	クライアント ID	操作
☐	表示する OAuth クライアントがありません				

サービス アカウント　　　　　　　　　　　　　　　　　　　サービス アカウントを管理

	メール		名前 ↑	操作
☐	表示するサービス アカウントがありません			

　これでCustom Search APIを呼び出すためのAPIキーが作成できました。コピーしたAPIキーはあとで使うので、どこかに保存しておきましょう。

ここもポイント ┃ APIキーの紛失に注意

APIキーを紛失すると、Custom Search APIの機能を使うことができなくなります。また第三者の手に渡ってしまうと、あなたになりすまして使用される可能性もあります。そのため、管理には十分注意しましょう。

カスタム検索を作成

　APIキーまで作成すれば、APIを使うための事前準備は終わりです。次は、実際に検索エンジンを作成しましょう。

- **カスタム検索**

　https://programmablesearchengine.google.com/controlpanel/all

1 ブラウザでカスタム検索に
アクセスし、[追加]をクリック

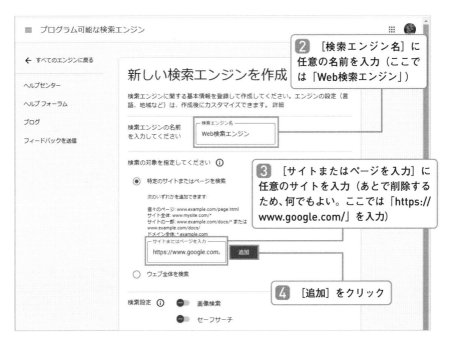

2 [検索エンジン名]に
任意の名前を入力(ここで
は「Web検索エンジン」)

3 [サイトまたはページを入力]に
任意のサイトを入力(あとで削除する
ため、何でもよい。ここでは「https://
www.google.com/」を入力)

4 [追加]をクリック

5 [私はロボットでは
ありません]にチェック
マークを付ける

6 [作成]をクリック

7 [カスタマイズ] を
クリック

8 [コピー] をクリック

検索エンジンIDが
コピーされた

9 画面下部までスクロール
し、[検索するサイト]にある
手順③で入力したサイトに、
チェックマークを付ける

10 [削除] をクリック

検索するサイトを削除

選択したサイトを完全に削除してもよろしいですか？

いいえ　はい

11 [はい] をクリック

これでCustom Search APIを使う準備は完了です。コピーした検索エンジンIDもあとで使うので、どこかに保存しておきましょう。

◢ Google検索の結果を取得する

それでは、Custom Search APIを使って、PythonからGoogle検索の結果を取得してみましょう。カスタム検索を使って取得したGoogle検索の結果を、JSONファイルで保存するサンプルプログラムです。サンプルプログラムでは、先ほど作成したAPIキーと検索エンジンIDを指定します。また、検索するキーワードは「Python」、取得件数は10件とします。

```
> python get_google_search.py ——— プログラムを実行
```

search.json（一部抜粋）

```
01  {
    ...
46    "items": [
47      {
48        "kind": "customsearch#result",
49        "title": "PYTHON 10mm single rope | EDELRID",
50        "htmlTitle": "<b>PYTHON</b> 10mm single rope | EDELRID",
51        "link": "https://edelrid.com/us-en/sport/ropes/python-10-0mm",
52        "displayLink": "edelrid.com",
53        "snippet": "Classic single rope for quality-conscious beginners in the vertical world.",
54        "htmlSnippet": "Classic single rope for quality-conscious beginners in the vertical world.",
55        "cacheId": "Ej1d3GhfPTEJ",
56        "formattedUrl": "https://edelrid.com/us-en/sport/ropes/python-10-0mm",
57        "htmlFormattedUrl": "https://edelrid.com/us-en/sport/ropes/<b>python</b>-10-0mm",
58        "pagemap": {
59          "metatags": [
60            {
61              "msapplication-tilecolor": "#ffffff",
62              "theme-color": "#ffffff",
63              "viewport": "width=device-width, initial-scale=1",
64              "msapplication-tileimage": "/favicon/edelrid/ms-icon-144x144.png"
65            }
66          ]
67        }
68      },
69      {
70        "kind": "customsearch#result",
71        "title": "Python チュートリアル — Python 3.12.3 ドキュメント",
72        "htmlTitle": "<b>Python</b> チュートリアル — <b>Python</b> 3.12.3 ドキュメント",
73        "link": "https://docs.python.org/ja/3/tutorial/",
74        "displayLink": "docs.python.org",
75        "snippet": "Python は強力で、学びやすいプログラミング言語です。効率的な高レベルデータ構造と、シンプルで効果的なオブジェクト指向プログラミング機構を備えています。",
76        "htmlSnippet": "<b>Python</b> は強力で、学びやすいプログラミング言語です。効率的な高レベルデータ構造と、シンプルで効果的なオブジェクト指向プログラミング機構を備えています。",
77        "cacheId": "rtOpEIZQh_MJ",
78        "formattedUrl": "https://docs.python.org/ja/3/tutorial/",
79        "htmlFormattedUrl": "https://docs.<b>python</b>.org/ja/3/tutorial/",
```

☑ Google検索の結果を取得する方法

PythonからCustom Search APIを使用するには、APIキーを指定した**buildオブジェクト**を作成します。

```
service = build("customsearch", "v1",
                developerKey=APIキー)
```

作成したbuildオブジェクトのlistメソッドを呼び出すことで、P.258で作成したカスタム検索を使用することができます。cx引数には作成した検索エンジンIDを指定します。

```
service.cse().list(
    q=検索したいキーワード,
    cx=検索エンジンID,
    lr=検索対象とする言語,
    num=取得件数(最大値は10),
    start=取得するページの番号
).execute()
```

それではサンプルプログラムを見てみましょう。APIキーと検索エンジンIDには、P.257、P.260の手順で作成した値を設定してください。

get_google_search.py

```
01  import json
02
03  from googleapiclient.discovery import build
04
05  api_key = "APIキー"                          作成したAPIキーを設定
06  search_engine_id = "検索エンジンID"          作成した検索エンジンIDを設定
07  keyword = "Python"
08                                              APIキーを指定
09  service = build("customsearch", "v1", developerKey=api_key)
10
11  response = (
12      service.cse()                           条件を指定して検索を実行
13      .list(q=keyword, cx=search_engine_id, lr="lang_ja",
    num=10, start=1)
14      .execute()
```

```
15  )
16
17  with open("search.json", "w", encoding="utf-8") as f:
                                         結果をJSONファイルで保存
18      json.dump(response, f, indent=2, ensure_ascii=False)
```

APIキーを指定したbuildオブジェクトを作成し、Google検索を行っています。listメソッドではnum引数を10にしているので、1ページあたりに含まれる検索結果は10件となります。そして、start引数を1と指定することで、検索結果のうち1ページ目（つまり、検索結果のうち先頭の1〜10件）を取得することができます。

取得した検索結果をJSONファイルにするために、open関数でsearch.jsonを作成します。search.jsonにデータを書き込むには、jsonモジュールのdump関数を使うことができます。

◪ Google検索の結果をExcelに出力する

Custom Search APIを使って、PythonからGoogle検索の結果を取得しました。今度は、検索結果が保存されているsearch.jsonをExcelに出力してみましょう。Google検索の結果を使って資料を作ることを想定しています。また、出力する情報はsearch.jsonの中でも、Webページのタイトルである「title」キー、URLである「link」キー、Webページの要約文である「snippet」キーとします。

```
> python read_json.py ────── プログラムを実行
```

	A	B	C	D	E	F
1	title	link	snippet			
2	PYTHON 10mm single rope	EDELRI	https://edelrid.com/us-en/sport/rop	Classic single rope for quality-consciou			
3	Python チュートリアル - Python 3.12.	https://docs.python.org/ja/3/tutorial	Python は強力で、学びやすいプログラ			
4	ZOAU Python API reference	https://www.ibm.com/docs/en/zoau	Modules・datasets・jobs・mvscmd・op			
5	Python用Snowpark開発者ガイド	Sn	https://docs.snowflake.com/ja/devel	Snowpark Pythonストアドプロシージャを			
6	Install the Python agent	New Relic	https://docs.newrelic.com/jp/install/	You can do this by installing our Pythor			
7	Get Programming: Learn to code with	https://www.amazon.com/Get-Progr	"Get Programming: Learn to code with			
8	AWS SDK for Python (Boto3)	https://aws.amazon.com/jp/sdk-for-	AWS SDK for Python (Boto3)・インスト			
9	フローでの Python スクリプトの使用 -	https://help.tableau.com/current/pre	フローへのスクリプトの追加・Tableau P			
10	python.jp: プログラミング言語 Python -	https://www.python.jp/	Pythonで最も有名なライブラリの一つに、			
11	Certify Python Scripts		https://www2.microstrategy.con			
12						

検索結果のうち「title」キー、「link」キー、「snippet」キーの情報がExcelに出力される

入れ子になっているJSONファイルをDataFrameにする方法

P.219ではpandas.read_json関数を使い、JSONファイルを読み込む方法を紹介しました。しかしWeb APIで取得できるJSONファイルは、入れ子構造になっていることがよくあります。入れ子構造になっているとpandas.read_jsonを使えないため、**jsonモジュールのload関数**を使います。

```
data = json.load(JSONファイル)
```

取得したデータは、DataFrameに変換するとExcelに出力しやすくなります。DataFrameに変換するには表形式のデータ構造にする必要があるので、入れ子構造のデータのうち必要な列のみを取得します。JSONファイルから必要な列のみ取得するには、キー名を指定します。

```
data[キー名]
```

取得したデータは辞書、または辞書のリストになっています。**pandas.json_normalize関数**を使うとDataFrameに変換できます。

```
pd.json_normalize(辞書のリスト)
```

それではサンプルプログラムを見てみましょう。

read_json.py

```
01  import json
02
03  import pandas as pd
04  from openpyxl import Workbook
05  from openpyxl.utils.dataframe import dataframe_to_rows
06
07  wb = Workbook()
08  ws = wb.active
09  ws.column_dimensions["A"].width = 30
10  ws.column_dimensions["B"].width = 30
11
12  with open("search.json", encoding="utf-8") as f:
13      data = json.load(f)           search.jsonのデータを取得
14
15  items = data["items"]             「items」キーのデータのみ取得
16  df = pd.json_normalize(items)     DataFrameに変換
17  select_df = df[["title", "link", "snippet"]]
18
19  for row in dataframe_to_rows(select_df, index=None,
    header=True):
```

```
20        ws.append(row) ─────── Excelに出力
21
22   wb.save("検索結果.xlsx")
```

　先ほど解説した関数を用いてJSONファイルを読み込み、Excelに出力しています。Custom Search APIで取得したJSONファイルは、「items」キーに検索結果の情報が設定されます。そのため、data["items"]と指定して「items」キーのデータのみ取得しています。

　json_normalizeメソッドで辞書のリストをDataFrameに変換したら、さらに必要な列のみ取得するために、DataFrameに対して列名を指定します。

Appendix1
付録
- - - - - - - - - - - - -
Pythonチートシート

060 Pythonの基本文法

本書はPythonの基本的な文法を習得済みの方を対象として解説していますが、おさらいとしてPythonのチートシートを用意しました。Pythonの基本的な文法や組み込み関数を、使用例も合わせて解説しています。サンプルプログラムでわからない文法や関数があったときに参照してください。

変数

変数とはプログラムで扱う値（数値や文字列など）に名前を付けたものです。変数を使うと、プログラム実行のたびに変わる値を同じ名前（変数名）で参照できたり、ほかのプログラムからその値を呼び出したりできます。

```
変数名 = 値
```

print_user.py

```
01  user_id = 12345          user_id変数に数値(12345)を代入
02  user_name = "鈴木太郎"    user_name変数に文字列(鈴木太郎)を代入
03  print(user_id)
04  print(user_name)
```

```
> python print_user.py          プログラムを実行
12345
鈴木太郎
```

演算子

演算子とは、論理判定や計算、比較などの演算を行う記号のことです。代表的な演算子をまとめます。

ブール演算子

演算子	説明	使用例
and	両方Trueの場合True、そうでない場合はFalse	a == 1 and b == 2
or	どちらかがTrueの場合True、両方Falseの場合はFalse	a == 1 or b == 2
not	否定	not a

算術演算子

演算子	説明	使用例
+	加算	1 + 2
-	減算	2 - 1
*	乗算	2 * 3（結果は6）
**	べき乗	2 ** 3（結果は8）
/	除算	5 / 3（結果は1.66……）
//	切り捨て除算	5 // 3（結果は1）
%	剰余（割った余り）	3 % 2（結果は1）

比較演算子

演算子	説明	使用例
<	より小さい	a < 3
>	より大きい	a > 3
<=	以下	a <= 3
>=	以上	a >= 3
==	等しい	a == 3
!=	等しくない	a != 3
is	同一のオブジェクトである	a is b
is not	同一のオブジェクトでない	a is not b

代入演算子

演算子	説明	使用例
=	代入	a = 1
+=	加算代入（左辺の値に右辺の値を加えて、変数に代入する）	a += 1（aが1の場合、aは2になる）
-=	減算代入（左辺の値から右辺の値を減らして、変数に代入する）	a -= 1（aが2の場合、aは1になる）

☑ 制御文

if文

if文は、条件に一致しているかを判定し、その判定結果で処理を分岐します。条件式には、ブール演算子や比較演算子がよく使われます。

```
if 条件式1:
    条件式1がTrueの場合の処理
elif 条件式2:
    条件式1がFalseであり、条件式2がTrueの場合の処理
else:
    いずれの条件式もFalseの場合の処理
```

条件式を満たした場合やelse節の処理は、字下げ（**インデント**）を入れます。インデントは半角スペース4つが推奨されています。また、elif節は複数記述することが可能です。

print_if.py

```
01  a = 10
02
03  if a > 10:
04      print("10より大きいです")
05  elif a == 10:
06      print("10です")
07  else:
08      print("10より小さいです")
```

```
> python print_if.py ──── プログラムを実行
10です
```

for文

for文は、シーケンスなどの繰り返し可能なオブジェクトの要素に対して、処理を繰り返します。

```
for 変数名 in シーケンスなどの繰り返し可能オブジェクト:
    処理
```

print_for.py
```
01  for i in range(5):
02      print(i)
```

```
> python print_for.py ————— プログラムを実行
0
1
2
3
4
```

　for文に、continue文またはbreak文を組み合わせて使うと、繰り返し処理を制御することができます。continue文は次の繰り返し処理を実行し、break文は最も内側の繰り返し処理を中断します。

print_continue.py
```
01  for i in range(5):
02      if i % 2 == 0:
03          continue
04      print(i)
```

```
> python print_continue.py ————— プログラムを実行
1  ┐
   │————— 奇数のみ表示される
3  ┘
```

while文

　while文は、条件を満たしている間、処理を繰り返します。条件式には、ブール演算子や比較演算子がよく使われます。

```
while 条件式:
    条件式がTrueの場合の処理
```

print_while.py
```
01  a = 1
02  while a < 6:
03      print(a)
04      a += 1
```

```
> python print_while.py ──── プログラムを実行
1
2
3
4
5
```

◢ 文字列

文字列を表すには、2つの記述方法があります。

- **シングルクォートで囲む(' ')**
- **ダブルクォートで囲む(" ")**

もし、文字列の中でシングルクォートを使いたい場合は「" "」で囲み、文字列の中でダブルクォートを使いたい場合は「' '」で囲みましょう。それ以外ではどちらを使ってもよいですが、プログラム内で統一することをおすすめします。本書では、基本的にダブルクォートを使用しています。

複数行の文字列は、三重引用符（''' '''または""" """）で記述できます。

print_str.py

```
01  flower = "ひまわり"
02  print(flower)
03
04  flower_newline = """あじ
05  さい"""
06  print(flower_newline)
```

```
> python print_str.py ──── プログラムを実行
ひまわり
あじ
さい
```

文字列には、ある文字列内に変数を埋め込むことができるf-strings（P.51参照）や、正規表現を扱うときに用いるraw文字列（P.201参照）と呼ばれる記法もあります。それぞれ本文で説明しているので、必要に応じて参照してください。

◢ シーケンス

シーケンスとは、データ（要素）の順序が保証されていて、要素を追加したり、インデックスを指定して要素を取り出したりできるデータ型のことです。for文と組み合わせて使うと、要素を1つずつ取り出せます。なお、文字列もシーケンス型の1つです。

リスト

リストはシーケンス型の1つであり、要素の追加や削除が可能なデータ型です。要素の追加はappendメソッドで行います。

```
変数名 = [要素1, 要素2, ……]
```

print_list.py

```
01  flower_list = ["バラ", "ひまわり", "桜"]
02  flower_list.append("あじさい")
03
04  for flower in flower_list:
05      print(flower)
```

```
> python print_list.py ──── プログラムを実行
バラ
ひまわり
桜
あじさい
```

タプル

タプルはシーケンス型の1つです。作成後に変更（要素の追加や削除）を行うことはできません。変更不可なので、更新されたくないデータを表現するときに使用します。また、リストは辞書（P.276）のキーに使用することができませんが、タプルは使用可能です。

```
変数名 = ("値1", "値2", ……)  または  "値1", "値2", ……
```

print_tuple.py

```
01  flower_tuple = ("バラ", "ひまわり", "桜")
```

```
02
03  for flower in flower_tuple:
04      print(flower)
```

```
> python print_tuple.py ────  プログラムを実行
バラ
ひまわり
桜
```

シーケンス演算

　シーケンスには、共通して使用できる演算子や記法があります。よく使うものを紹介しましょう。

• in演算子

　リストやタプルは、in演算子を使って「要素がリストやタプルに含まれているか」を判定することができます。

```
x in s ───────── xがsに含まれる場合はTrue、それ以外はFalse
x not in s ───── xがsに含まれない場合はTrue、それ以外はFalse
```

print_in.py
```
01  num_list = [1, 2, 3]
02
03  if 3 in num_list: ───── 3がnum_listに含まれるかを判定
04      print("含まれています")
```

```
> python print_in.py ──── プログラムを実行
含まれています
```

• スライス

　リストやタプルの要素は、インデックスを指定して取得します。また**スライス**を用いると、シーケンスの一部分を取得することもできます。

```
変数名[インデックス] ───────── インデックスを指定すると要素を取得できる
変数名[開始位置：終了位置] ───── スライスを用いると、一部分を取得できる
```

print_slice.py

```
01  flower_list = ["バラ", "ひまわり", "桜"]
02
03  print(flower_list[0])        1番目(インデックス0)の要素を取得
04  print(flower_list[1:])       2番目(インデックス1)からリストの最後の要素までを取得
05  print(flower_list[:-1])      リストの先頭から、後ろから1番目の要素の前までを取得
```

```
> python print_slice.py        プログラムを実行
バラ
["ひまわり", "桜"]
["バラ", "ひまわり"]
```

リスト内包表記

リスト内包表記は、リストを簡単に生成する方法です。

変数2 = [要素 for 変数1 in シーケンスなどの繰り返し可能なオブジェクト
if 条件式]

for文のあとの「if 条件式」は省略可能です。

list_create.py

```
01  num_list = [x**2 for x in range(10)]
02  print(num_list)
```

```
> python list_create.py        プログラムを実行
[0, 1, 4, 9, 16, 25, 36, 49, 64, 81]
```

list_create.pyは0から9までの整数値をそれぞれ2乗した値で、リストを生成しています。このプログラムを内包表記を使用せずに書くと、次のようになります。

list_append.py

```
01  num_list = []
02  for x in range(10):
03      num_list.append(x**2)
04  print(num_list)
```

内包表記を使わずに記述すると複数行必要ですが、内包表記だと1行で記述できます。ただし、for文に複雑な処理が含まれる場合に使うと、プログ

ラムの可読性が下がる場合があります。その場合は、内包表記を使用せずに書くとよいでしょう。

☑ 辞書

辞書は複数のデータをまとめて扱えるデータ型であり、「キー: 値」の形式でデータを保持します。キーは辞書内で一意である必要があります。リストやタプルがインデックスを指定して値を取り出すのに対して、辞書はキーを指定して値を取り出します。辞書をfor文と合わせて使うと、キーを取り出すことができます。また、itemsメソッドとfor文を合わせて用いると、キーと値を同時に取り出すことができます。

```
変数名 = {キー1: 値1, キー2: 値2, ……}
```

print_dictionary.py

```
01  user_dict = {"id": 12345, "name": "鈴木太郎"}
02  print(user_dict["name"])
03
04  for k in user_dict:
05      print(k)
06
07  for k, v in user_dict.items():  ── キーと値を同時に取り出す
08      print(k, v)
```

```
> python print_dictionary.py ── プログラムを実行
鈴木太郎 ── キー「name」を指定して取り出した値
id ──
name ── for文で取り出したキー
id 12345 ── for文にitemsメソッドを用いて
name 鈴木太郎 ── 取り出したキーと値
```

☑ そのほかの文法

関数

関数とは処理のかたまりに名前を付けたものです。名前を付けることで、ほかの場所やプログラムからその処理を呼び出すことができます。関数の呼び出し時に値を渡す場合は**引数**、関数の呼び出し元に値を返したい場合は、**return**を使用します。引数とreturnは、省略可能です。returnを省略した場

合は、関数の戻り値はNoneになります。Noneは、Pythonで「値が存在しない」ことを表す定数です。

```
def 関数名(引数1, 引数2, ……):
    処理
    return 戻り値
```

function.py

```
01  def double(num):
02      return num * 2
03
04
05  val = double(2) ──────double関数を呼び出す
06  print(val)
```

```
> python function.py ──────プログラムを実行
4
```

リストやタプルを関数に渡す場合にアスタリスク（*）を使うと、要素を1つずつに分解して渡すこともできます。これを**引数のアンパック**と呼びます。

print_unpack.py

```
01  num = (1, 4)
02  for i in range(*num): ──*を使って、range関数の開始値に1、終了値に4を渡す
03      print(i)
```

```
> python print_unpack.py ──プログラムを実行
1
2
3
```

例外処理

例外とは、プログラムの実行中に発生するエラーのことです。例外処理を記述すると、発生したエラーに応じて処理を分岐させることが可能です。

```
try:
    処理1
```

277

```
except 例外クラス名 as 別名:
    処理2(指定した例外が発生したときのみ行う処理)
else:
    処理3(例外が発生しなかったときのみ行う処理)
finally:
    処理4(例外の発生有無にかかわらず、必ず行う処理)
```

except節は複数記述することが可能です。

print_error.py

```
01  try:
02      result = 1 / 0 ——— 0で除算しているため、ZeroDivisionError例外が発生する
03  except ZeroDivisionError as err:
04      print("0で除算しました", err)
05  finally:
06      print("end")
```

```
> python print_error.py ——— プログラムを実行
0で除算しました division by zero
end
```

インポート

import文を使用して**インポート**を行うと、プログラムでほかのモジュールを利用することができます。モジュールとは、Pythonのプログラムファイルのことです。インポートには、いくつか書き方があります。

```
import モジュール名 ——— モジュールをインポートする
import モジュール名 as 別名 ——— 別名を付けると、その名前で関数やメソッドを参照できる
from モジュール名 import クラス名や関数名
                    └─── モジュールの特定の機能だけインポートできる
```

import_workbook.py

```
01  from openpyxl import Workbook ———
02                      openpyxlのうちWorkbookクラスのみインポート
03  wb = Workbook()
04  ws = wb.active
05  wb.save("sample.xlsx")
```

061 組み込み関数

Pythonには、標準でさまざまな関数（組み込み関数）が用意されています。その中でも、よく使う関数を紹介します。

range関数

range関数は、数列を生成します。for文と組み合わせて使うと、数列の値を1つずつ取り出せます。ある規則性を持った数列を生成したいときや、繰り返し処理を特定の回数行いたいときなどによく使われます。

range(開始値, 終了値, 増分値)

引数は、整数のみ指定できます。開始値を指定しない場合は0、増分値を指定しない場合は1となります。そのため、range(5)は数列「0、1、2、3、4」を生成します。

print_range.py

```
01  for i in range(1, 10, 2):
02      print(i)
```

```
> python print_range.py ──── プログラムを実行
1
3
5
7
9
```

len関数

len関数は、オブジェクトの要素数を返します。

len(シーケンスや辞書)

```
01  flower_list = ["バラ", "ひまわり", "桜"]
02  print(len(flower_list))
```

```
> python print_len.py ────── プログラムを実行
3 ──────
                          flower_listの要素数3が表示される
```

enumerate関数

enumerate関数をfor文と合わせて使うと、要素とカウントを同時に取り出すことができます。そのため、for文の繰り返し回数を取得して処理を行いたいときによく使用します。

```
enumerate(シーケンスなどの繰り返し可能オブジェクト, start=カウントの
初期値)
```

start引数を指定しない場合、カウントの初期値は0です。

```
01  flower_list = ["バラ", "ひまわり", "桜"]
02
03  for i, val in enumerate(flower_list):
04      print(i, val)
```

```
> python print_enumerate.py ────── プログラムを実行
0 バラ
1 ひまわり ───────────────  カウントと要素が表示される
2 桜
```

open関数

open関数は、指定したファイルのファイルオブジェクトを取得できます。取得したファイルオブジェクトを使用すると、ファイルに文字を書き込んだり、内容を読み込んだりできます。with文を合わせて使うと、with文のブロックから抜けた際にファイルが自動で閉じられます。

```
open(ファイル名, モード, encoding=使用する文字コード)
```

```
01  with open("sample.txt", "w", encoding="utf-8") as f:
02      f.write("こんにちは\n")
```

> python open_sample.py ───── プログラムを実行

　このサンプルプログラムを実行すると、sample.txtが作成されます。sample.txtには「こんにちは」という文字列と改行が書き込まれます。

　open関数にはそのファイルを開くモードを指定できます。サンプルプログラムでは、モードに"w"を指定して、書き込みモードにしています。モードにはいくつか種類があるので、主なものを次にまとめます。

モード	説明
r	読み込み専用（デフォルト）
w	書き込み専用。ファイルがすでに存在する場合は、既存の内容が削除されてから書き込まれる
a	書き込み専用。ファイルがすでに存在する場合は、末尾に内容が書き込まれる
b	バイナリモード（画像など、テキストファイル以外のファイルを開く場合に使用する）

▨ type関数

　type関数は、データ型を調べることができます。デバッグでデータ型を調べたいときに使うと便利です。

　type(変数名)

print_type.py

```
01  user_id = 12345
02  user_name = "鈴木太郎"
03  flower_list = ["バラ", "ひまわり", "桜"]
04
05  print(type(user_id))
06  print(type(user_name))
07  print(type(flower_list))
```

```
> python print_type.py ─────  プログラムを実行
<class "int">  ┐
<class "str">  ├─  データ型が表示される
<class "list"> ┘
```

■ ほかの主な組み込み関数

Pythonには、ほかにもさまざまな組み込み関数が用意されています。

• 組み込み関数

https://docs.python.org/ja/3/library/functions.html

以下に、代表的なものをまとめます。

組み込み関数	説明	使用例
print()	画面に文字を表示する	print("suzuki")
input()	対話形式で入力された値を取得する	input("値を入力してください: ")
int()	整数値に変換する	int("123")
float()	浮動小数点に変換する	float("123.1")
round()	小数部の値を丸める	round(1.5)
str()	文字列に変換する	str(123)
list()	リストを生成する	list(range(5))
tuple()	タプルを生成する	tuple(range(5))
max()	最大値を取得する	max(a)
min()	最小値を取得する	min(a)
sum()	合計値を取得する	sum(a)
sorted()	要素をソートする	sorted(a)

Appendix2
付録

トラブルシューティング

062 | エラーを解決するポイント

プログラムを開発していると、必ずといっていいほど、エラーに遭遇します。それはプログラミングの初心者だけではなく、ベテランのエンジニアであっても同様です。そのため、エラーが発生するのは当然と考え、慌てずに対処することが大切です。ここでは、エラーを解決するためのポイントについて紹介しましょう。

◢ エラーメッセージをよく読む

まずは、エラーメッセージをよく読みましょう。「英語でよくわからない……」と悩む人も多いとは思いますが、**エラーメッセージの中には必ずエラー解決のヒントが隠れています。**英語で意味が読み取りづらいなら、Google翻訳なども使うとよいでしょう。

なおPythonでは、Python3.10からエラーメッセージがわかりやすくなるように改善され続けています。

- **エラーメッセージの改善**（Python3.10）
  https://docs.python.org/ja/3/whatsnew/3.10.html#better-error-messages

- **エラーメッセージの改善**（Python3.11）
  https://docs.python.org/ja/3/whatsnew/3.11.html#pep-657-fine-grained-error-locations-in-tracebacks

- **エラーメッセージの改善**（Python3.12）
  https://docs.python.org/ja/3/whatsnew/3.12.html#improved-error-messages

たとえば、次のサンプルプログラムを実行した際のエラーメッセージを見てみましょう。

```
01  from openpyxl import Workbook
02
03  wb = Workbook()
04  ws = wb.active
05
06  for row_count in range(1, 5):
07      cell_no = f"A{row_count}"
08      ws[cell_n] = "Hello" ─────── 変数名がcell_nになっているバグがある状態
09
10  wb.save("test.xlsx")
```

```
    ws[cell_n] = "Hello"
       ^^^^^^
NameError: name 'cell_n' is not defined. Did you mean: 'cell_
no'?
```

　このように、ある程度似た変数名が存在する場合は「この変数と間違えていませんか？」とエラーメッセージで教えてくれるようになりました。ただし、似た変数名がない場合は、今までと同じエラーメッセージになります。

　エラーメッセージを読んで理解できることは、プログラミングスキルの1つです。そのため、エラーメッセージをよく読むことを習慣づけましょう。

✓ エラーメッセージでWeb検索する

　エラーメッセージを読んでもエラーの原因がわからない場合は、エラーメッセージでWeb検索してみましょう。その際は、**エラーメッセージから環境固有の文言は除いてください。**たとえば、上記の「NameError: name 'cell_n' is not defined. Did you mean: 'cell_no'?」メッセージなら、cell_noという変数名は自分が作成したプログラム固有の情報なので、それらを除き、「NameError」「is not defined」などのキーワードで検索してみましょう。また、「python NameError」などのように、言語のキーワードも一緒につけるとより見つけやすくなります。

✓ デバッグする

　デバッグするのも有効な手段です。デバッグの方法は、print関数を使うものから、VS Codeで行うものまで、P.37〜P.42で詳細に解説しているので、参考にしてください。また、**プログラムの一部をコメントアウトしながらデ**

バッグする方法もおすすめです。**コメント**とは、プログラムの説明といった、プログラムの中で実行させたくない文に使う記法です。Pythonでは「#」を付けた行がコメントとして認識されるので、その行は実行されません。そして、実行させたくないときにつけるコメントは「**コメントアウト**」と表現します。

たとえば、先ほどのプログラムでfor文をコメントアウトにして実行してみましょう。

```
01  from openpyxl import Workbook
02
03  wb = Workbook()
04  ws = wb.active
05
06  # for row_count in range(1, 5):
07  #     cell_no = f"A{row_count}"
08  #     ws[cell_n] = "Hello""
09
10  wb.save("test.xlsx")
```

for文をコメントアウトにする

この場合、エラーが発生しないので、for文以外の箇所にはエラーの原因がない、と推測できます。その後は、6行目、7行目のように、コメントアウトを順番に解除していきましょう。そうすると、**どの処理があるとエラーが発生するのかがわかりやすくなります。**

なお、VS Codeでは、**コメントの追加と解除を行うショートカット**は、Ctrl + I キーです。よく使うので覚えておきましょう。

063 | よく発生するエラーと解決方法

　ここでは、ライブラリに関してよく発生するエラーとその解決方法を簡単にですが紹介します。当該エラーが発生した場合は、参考にしてみてください。

☑ openpyxlのエラー

PermissionError

　P.45で少し紹介しましたが、openpyxlを使ったプログラムでよく発生するエラーに**PermissionError**があります。このエラーは、操作する対象のブックがユーザーによって開かれていた場合や、読み取り専用になっているブックを上書き保存しようとしたときに発生します。

```
PermissionError: [Errno 13] Permission denied: '一覧表.xlsx'
```

　つまり、PermissionErrorは権限が足りないために発生するエラーなのです。エラーが発生した場合は、操作対象のブックを開いていないか、読み取り専用になっていないかを確認するようにしましょう。

AttributeError

　AttributeErrorは、対象のオブジェクトに存在しない属性やメソッドを呼び出したときに発生するエラーです。openpyxlの場合は、読み取り専用になっているブックのセルに書き込みをしたり、該当のブックやセルに存在しないメソッドを呼び出したりしているのが原因であることが多いです。

```
01  from openpyxl import Workbook
02
03  wb = Workbook()
04  ws = wb.text ──────── Workbookオブジェクトには存在しない属性
05  wb.save("test.xlsx")
```

```
AttributeError: 'Workbook' object has no attribute 'text'
```

本エラーが発生した場合は、プログラムのエラー発生箇所で、存在しないメソッドを呼び出している箇所がないか、綴りミスがないかを調べましょう。

☑ そのほかのライブラリに関するエラー

ModuleNotFoundError

ModuleNotFoundErrorは、プログラム中で使用しているライブラリが見つからないときに発生するエラーです。

```
ModuleNotFoundError: No module named 'googleapiclient'
```

本エラーが発生した場合は、当該パッケージがインストール済みかをpip listコマンド（P.35参照）で確認し、未インストールの場合は当該パッケージをインストールしてください。インストール済みの場合は、エラーが発生した箇所の、ライブラリの呼び出しに、綴りミスがないかをよく確認しましょう。

また、P.244のプログラムでWebDriverに関するエラーが発生する場合は、WebDriverが見つからないのが原因であることが多いです。

```
selenium.common.exceptions.WebDriverException: Message: 'chrome
driver' executable needs to be in PATH.
```

その場合は、WebDriverの環境変数（P.241参照）が正しく設定されているかを確認しましょう。

SeleniumにおけるAttributeError

Seleniumを使ったプログラムでAttributeErrorが発生する場合は、find_element_byで始まるメソッドを利用しているのが原因な場合があります。

```
AttributeError: 'WebDriver' object has no attribute 'find_eleme
nt_by_name'
```

その場合は、find_element系メソッドを使いましょう。　また、find_element系メソッドを使う際は、P.244のプログラムにもあるように、「from selenium.webdriver.common.by import By」というインポート文が必要な点も忘れないようにしてください。

ここもポイント | Anacondaをインストール済みの場合

本書では、Python公式サイトからPythonをインストールし、Windowsのターミナル
で実行するのを基本としています。もし、Anacondaというデータサイエンスプラッ
トフォームをインストールしたパソコンで本書のプログラムを実行するなら、以下
の点に注意してください。

• pipではなくcondaを使う

Anaconda環境で、サードパーティー製パッケージをインストールする際は、pipコ
マンドではなく、condaコマンドを利用しましょう。Anacondaではパッケージ管理
ツールに、pipではなく、condaが使われているためです。

```
> conda install パッケージ名
```

jaconvやgoogle-api-python-clientなどの一部パッケージは、デフォルトではcondaで
インストールできないので、その場合は、「-c conda-forge パッケージ名」を付与し
て実行しましょう。

```
> conda install -c conda-forge パッケージ名
```

• ターミナルではなくAnaconda Powershell Promptを使う

Anaconda環境では、Anaconda Powershell PromptというCLIが標準でインストール
されているので、そこにpythonコマンドを入力して実行しましょう。

• 自分が利用しているPythonが何かわからない場合

そもそも、自分がどの環境のPythonを使用しているのかわからない場合は、
Windowsのターミナルで「python」と入力してください。その際に「packaged by
Anaconda, Inc.」と表示された場合は、本書のようにPython公式サイトから手動イ
ンストールしたPythonではなく、Anaconda環境のPythonを使用していることがわか
ります。

```
> python
Python 3.12.2 |packaged by Anaconda, Inc.|~
```

　　　　　　　　　　「packaged by Anaconda, Inc.」と表示されたらAnaconda環境だとわかる

もしAnacondaを使いたくないなら、アンインストールして、Python公式サイトから
Pythonを手動でインストール（P.15参照）してください。

list
openpyxlメソッド・関数一覧

openpyxlの代表的なメソッド・関数をまとめました。
目的の操作にあったメソッド・関数を調べる際に参考にしてください。

Excelの操作	openpyxlの対応メソッド・関数
ブックの作成	wb = Workbook()
ブックの読み込み	wb = load_workbook(ブック名)
ブックの保存	wb.save(ブック名)
シートの作成	wb.create_sheet(title=シート名)
シートの削除	wb.remove(シート)
シートの移動	wb.move_sheet(シート名またはシート, offset=シートの移動先を表す数)
シートのコピー	wb.copy_worksheet(シート)
シートの取得	ws = wb[シート名]
アクティブなシートを取得	ws = wb.active
すべてのシートを取得	wb.worksheets
すべてのシート名を取得	wb.sheetnames
シート名の設定	ws.title = シート名
シート見出しの色を設定	ws.sheet_properties.tabColor = RGB形式の色
セルの値を設定（セル番地指定）	ws[セル番地] = 設定したい値
セルの値を設定（行番号と列番号指定）	cell(行番号, 列番号).value = 設定したい値
セルの移動	ws.move_range(移動するセルの範囲, rows=移動する行数, cols=移動する列数)
セルを行単位で順に取得	ws.iter_rows(min_row=最小の行番号, max_row=最大の行番号, min_col=最小の列番号, max_col=最大の列番号)
セルを列単位で順に取得	ws.iter_cols(min_col=最小の列番号, max_col=最大の列番号, min_row=最小の行番号, max_row=最大の行番号)
行の挿入	ws.insert_rows(位置)
行の削除	ws.delete_rows(位置)
行の非表示	ws.row_dimensions[行番号].hidden = False
行の高さを設定	ws.row_dimensions[行番号].height = 行の高さ
列の挿入	ws.insert_cols(位置)
列の削除	ws.delete_cols(位置)
列の非表示	ws.column_dimensions[列名].hidden = False
列の幅を設定	ws.column_dimensions[列名].width = 列の幅
データが入っている最小の行を取得	ws.min_row
データが入っている最大の行を取得	ws.max_row
データが入っている最小の列を取得	ws.min_column
データが入っている最大の列を取得	ws.max_column

本書サンプルプログラムのダウンロードについて

本書で使用しているサンプルプログラムは、下記の本書サポートページからダウンロードできます。zip形式で圧縮しているので、展開してからご利用ください。

【本書サポートページ】

https://book.impress.co.jp/books/1123101155

1 上記URLを入力してサポートページを表示

2 ［ダウンロード］をクリック

画面の指示にしたがってファイルを
ダウンロードしてください。
※Webページのデザインやレイアウトは
　変更になる場合があります。

---

staff list スタッフリスト

カバー・本文デザイン	米倉英弘（細山田デザイン事務所）
DTP	リブロワークス・デザイン室
校正	株式会社トップスタジオ
デザイン制作室	今津幸弘、鈴木 薫
監修	鈴木たかのり、吉田花春、Yukie（株式会社 ビープラウド）
執筆・編集	藤井 恵（リブロワークス）
編集長	柳沼俊宏

■商品に関する問い合わせ先

このたびは弊社商品をご購入いただきありがとうございます。本書の内容などに関するお問い合わせは、下記のURLまたは二次元バーコードにある問い合わせフォームからお送りください。

https://book.impress.co.jp/info/

上記フォームがご利用いただけない場合のメールでの問い合わせ先
info@impress.co.jp

※お問い合わせの際は、書名、ISBN、お名前、お電話番号、メールアドレス に加えて、「該当するページ」と「具体的なご質問内容」「お使いの動作環境」を必ずご明記ください。なお、本書の範囲を超えるご質問にはお答えできないのでご了承ください。

●電話やFAXでのご質問には対応しておりません。また、封書でのお問い合わせは回答までに日数をいただく場合があります。あらかじめご了承ください。
●インプレスブックスの本書情報ページ https://book.impress.co.jp/books/1123101155 では、本書のサポート情報や正誤表・訂正情報などを提供しています。あわせてご確認ください。
●本書の奥付に記載されている初版発行日から 3 年が経過した場合、もしくは本書で紹介している製品やサービスについて提供会社によるサポートが終了した場合はご質問にお答えできない場合があります。

■落丁・乱丁本などの問い合わせ先
FAX 03-6837-5023
service@impress.co.jp
※古書店で購入された商品はお取り替えできません。

仕事がはかどるPython&Excel自動処理
全部入り 改訂2版（できる全部入り）

2024年8月21日　　　初版発行

監修　　株式会社 ビープラウド
著者　　リブロワークス
発行人　高橋隆志
編集人　藤井貴志
発行所　株式会社 インプレス
　　　　〒101-0051　東京都千代田区神田神保町一丁目105番地
　　　　ホームページ　https://book.impress.co.jp/

印刷所　　株式会社暁印刷
ISBN978-4-295-01987-9　C3055

Printed in Japan